LA BATAILLE
DE PHARSALE

CLAUDE SIMON

LA BATAILLE
DE PHARSALE

LES ÉDITIONS DE MINUIT

IL A ÉTÉ TIRÉ DE CET OUVRAGE
QUATRE - VINGT - DIX EXEMPLAIRES
SUR PUR FIL LAFUMA, NUMÉROTÉS
DE 1 A 90 PLUS SEPT EXEMPLAIRES
HORS - COMMERCE NUMÉROTÉS DE
H.-C. I A H.-C. VII

IL A ÉTÉ TIRÉ EN OUTRE CENT
DOUZE EXEMPLAIRES SUR BOUFFANT
SÉLECT MARQUÉS « 112 » NUMÉRO-
TÉS DE 1 A 112 ET RÉSERVÉS A LA
LIBRAIRIE DES ÉDITIONS DE MINUIT

843.91 - S594ba

174684

I

ACHILLE IMMOBILE A GRANDS PAS

Zénon ! Cruel Zénon ! Zénon d'Elée !
M'as-tu percé de cette flèche ailée
Qui vibre, vole, et qui ne vole pas !
Le son m'enfante et la flèche me tue !
Ah ! le soleil... Quelle ombre de tortue
Pour l'âme, Achille immobile à grands pas !

PAUL VALÉRY.

Jaune et puis noir temps d'un battement de paupières et puis jaune de nouveau : ailes déployées forme d'arbalète rapide entre le soleil et l'œil ténèbres un instant sur le visage comme un velours une main un instant ténèbres puis lumière ou plutôt remémoration (avertissement ?) rappel des ténèbres jaillissant de bas en haut à une foudroyante rapidité palpables c'est-à-dire successivement le menton la bouche le nez le front pouvant les sentir et même olfactivement leur odeur moisie de caveau de tombeau comme une poignée de terre noire entendant en même temps le bruit de soie déchirée l'air froissé ou peut-être pas entendu perçu rien qu'imaginé oiseau flèche fustigeant fouettant déjà disparue l'empennage vibrant les traits mortels s'entrecroisant dessinant une voûte chuintante comme dans ce tableau vu où ? combat naval entre Vénitiens et Génois sur une mer bleu-noir crêtelée épineuse et d'une galère à l'autre l'arche empennée bourdonnante dans le ciel obscur l'un d'eux pénétrant dans

sa bouche ouverte au moment où il s'élançait en avant
l'épée levée entraînant ses soldats le transperçant clouant
le cri au fond de sa gorge

Obscure colombe auréolée de safran

Sur le vitrail au contraire blanche les ailes déployées
suspendue au centre d'un triangle entourée de rayons
d'or divergeants. Ame du Juste s'envolant. D'autres fois
un œil au milieu. Dans un triangle équilatéral les hauteurs, les bissectrices et les médianes se coupent en un
même point. Trinité, et elle fécondée par le Saint-Esprit,
Vase d'ivoire, Tour de silence, Rose de Canaan, Machin
de Salomon. Ou peint au fond comme dans la vitrine
de ce marchand de faïences, écarquillé. Qui peut bien
acheter des trucs pareils ? Vase nocturne pour recueillir.
Accroupissements. Devinette : qu'est-ce qui est fendu,
ovale, humide et entouré de poils ? Alors œil pour œil
comme on dit dent pour dent, ou face à face. L'un
regardant l'autre. Jaillissant dru dans un chuintement
liquide, comme un cheval. Ou plutôt jument.

Disparu au-dessus des toits. Façon de parler : pas
vu disparaître et pas vu réellement les toits. Simplement
haut par opposition à bas. C'est-à-dire en bas un néant
originel (pas la place, l'asphalte où deux autres piètent
toujours, gris à pattes roses), en haut un autre néant,
entre lesquels il s'est soudain matérialisé, un instant,
ailes déployées, comme l'immobile figuration du concept
même d'ascension, un instant, puis plus rien. Le reflet
dans le vantail de la fenêtre à demi fermé toujours rempli
aux deux tiers par l'angle de l'immeuble et à un tiers

par du ciel, les larges mailles du rideau de filet derrière
la vitre plus visibles dans la partie gris sombre que
dans la bande remplie par le bleu clair, la forme bour-
souflée du nuage se faufilant d'un vantail à l'autre pour
ainsi dire en se contorsionnant sur la surface inégale
du verre, glissant et disparaissant, l'image reflétée de la
façade d'angle, balcons, fenêtres, sinueuse aussi, comme
ces reflets dans l'eau. Mais immobile. Les mailles du
rideau immobiles aussi.

Les jeunes gens toujours là à la terrasse du petit café,
avec cette différence toutefois que maintenant, à côté
de celui qui est affalé sur le guéridon, la tête dans ses
bras repliés, se tient un autre, en pull-over marron, penché sur lui (s'appuyant d'une main, bras tendu, sur le
guéridon lui-même, de l'autre — bras à angle droit —
au dossier de la chaise du dormeur — peut-être ivre ?),
lui parlant, semble-t-il, avec une patiente et maternelle
sollicitude ; alors un de ceux assis sur la gauche de la
terrasse lance un petit seau d'enfant en plastique bleu
ciel (ou plutôt jette en l'air : c'est-à-dire non pas comme
quand on vise quelque chose, le seau ne parcourant pas
une trajectoire tendue, vers un but précis, mais une
courbe en tournoyant sur lui-même et retombant sur le
guéridon voisin de celui du dormeur, renversant deux
verres, le tintement de l'un d'eux se brisant sur le sol
parvenant presque aussitôt, tandis que l'autre, couché
sur la table, roule sur lui-même, son bord décrivant un
arc de cercle au long duquel, à partir de la flaque de
bière répandue, il laisse une traînée liquide, jusqu'à ce

11

qu'il heurte l'une des soucoupes, repartant alors en sens
contraire, revenant s'immobiliser dans la flaque, intact),
le jeune homme au pull-over marron (le bras qui l'instant d'avant prenait appui sur le dossier de la chaise maintenant passé autour des épaules du dormeur, le buste presque horizontal, la bouche près de l'oreille du dormeur)
détournant un instant la tête vers celui qui a lancé le seau,
lui adressant quelques paroles inaudibles, puis recom-
mençant à parler au dormeur, le seau bleu ciel immobilisé
sur la chaussée là où il a roulé après avoir heurté les
verres et rebondi sur le guéridon, à peu de distance du
rebord du trottoir, la fille en rouge se levant alors brusquement, faisant demi-tour et rentrant à l'intérieur du
café. Entre sa courte jupe et ses longues bottes noires
tache claire de ses cuisses et l'intérieur jumeaux des
genoux. Le soleil brille sur les morceaux du verre cassé.

Photo jaunie aux ombres pâles où les visages blafards
avaient des yeux aux pupilles dilatées écarquillées éblouis
sans doute par le brusque éclair du magnésium. Sur un
côté on pouvait voir le coin d'une table couverte d'as-
siettes repoussées de bouteilles et de verres encore à
moitié pleins. Barbu vêtu d'un chandail à col roulé, un
autre était en manches de chemise mais cravaté, avec un
de ces cols empesés ou en celluloïd qui semblait soutenir
la tête plate au nez chaussé de lorgnons d'un chef de
bureau ou de rayon. Un en maillot rayé de marin élevait
à bout de bras une bouteille, le buste renversé en arrière
la bouche ouverte comme un ténor. Le barbu avait une
guitare posée sur ses genoux. Les femmes étaient cas-

quées de cheveux courts luisants et cosmétiqués ramenés en accroche-cœurs sur les joues. Deux avaient le front ceint d'un bandeau comme les Indiens. Elles portaient de longs colliers pendants sur des robes semblables à des sacs. L'une d'elles était vêtue d'un chandail d'homme. Pour faire de la place on avait repoussé dans le fond deux chevalets de peintre. Plusieurs tableaux étaient accrochés au mur mais la lumière éblouissante du magnésium se reflétait dessus et empêchait de distinguer ce qu'ils représentaient. Là-dedans avec son veston son gilet sagement boutonné son visage tranquille l'air vaguement surpris on aurait dit un cousin de province échoué là par mégarde. Dans sa main il tenait un verre aux trois quarts plein peut-être par mégarde aussi ou pour ne pas désobliger les autres. Le tout baignant dans ou recouvert d'une couche jaune uniforme soufre ou plutôt pisseuse. Quelqu'un avait écrit en oblique dans le coin inférieur droit les mots LOS HIJOS DE PUTAS, les hauts jambages de l'écriture courant sur la jupe et le corsage d'une des deux filles qui portaient un bandeau d'Indien

Yeux regardant comme à travers les trous de masques figés et plâtreux percés de fentes en forme d'amandes cernées d'un trait noir tout autour

Le nuage blanc tout à fait disparu un autre envahissant lentement (ou plutôt s'infiltrant se répandant par légères saccades — comme une flaque de lait sur la surface d'une table mal rabotée, bosselée) le haut de la vitre du vantail gauche

LA BATAILLE DE PHARSALE

Au-dessus de la balustrade entourant la bouche du métro apparaît la tête d'une femme aux cheveux grisonnants s'élevant d'un mouvement continu et oblique, puis ses épaules revêtues d'un imperméable gris-bleu Elle trébuche légèrement quand elle abandonne la dernière marche puis reprend son équilibre et s'éloigne marchant d'un pas vif malgré son âge Au bout de son bras pend un cabas marron

Immobiles d'abord, entraînés par le même mouvement ascensionnel et continu qui semble les ramener du sein de la terre, puis prenant pied sur le trottoir et s'éloignant dans différentes directions apparaissent successivement à sa suite :

1 homme chauve aux mèches de cheveux clairsemées ramenées sur son crâne et collées au cosmétique, vêtu d'un complet bleu, avec une cravate bordeaux rayée en oblique ton sur ton, marchant de façon décidée à grands pas, 1 jeune femme en robe bleu foncé bras nus portant son enfant vêtu de bleu clair sur le bras droit dont la main tient l'anse d'un seau à pâtés orange une petite pelle et un petit râteau rouge et jaune dépassant du seau, 1 jeune homme à lunettes aux cheveux ondulés veste marron pantalon gris chaussures de daim gris également s'éloignant les deux coudes collés au corps les avant-bras horizontaux les mains se rejoignant un papier ou quoi entre elles lettre ? Les bustes de plus en plus serrés maintenant sans doute le gros des voyageurs de la rame un sur chaque marche probablement les têtes surgissant l'une après l'autre sans interruption deux reli-

gieuses un soldat une dame à chapeau rose de nouveau un chauve un nègre un homme au visage tout ridé jaunâtre une jeune fille tête nue une autre jeune fille tête nue le képi d'un agent une

Si on regarde fixement la fenêtre pendant assez longtemps on dirait qu'elle se déplace dérive lentement dans le ciel simple rectangle partagé en deux traversé de nuages. Maisons qui semblent basculer vous tomber lentement dessus sans fin

dame âgée au chapeau de paille noire avec un nœud violet type avec un nez comme un bec type avec une casquette à petits carreaux une jeune femme blonde très fardée, le contraste entre l'immobilité des personnages et le lent mouvement d'ascension leur conférant une sorte d'irréalité macabre comme sur cette image du livre de catéchisme où l'on pouvait voir une longue procession ascendante de personnages immobiles figés les uns simplement debout d'autres une jambe repliée un pied un peu plus haut que l'autre comme reposant sur une marche l'escalier constitué par les volutes d'un nuage s'étirant s'élevant en plan incliné des vieillards appuyés sur des cannes des enfants je me rappelle une femme drapée dans une sorte de péplum enveloppant d'un de ses bras les épaules d'un jeune garçon bouclé sur lequel elle se penchait l'autre bras levé montrant d'une ☞ à l'index tendu là-haut la Gloire et les Nuées et derrière eux il en venait toujours d'autres montant vers Sa lumière tous suivant la direction indiquée par cette main impérieuse comme celles (ou quelquefois seu-

lement une ➠➝) qui sur les parois émaillées indiquent
HOMMES OU DAMES dans l'odeur ammoniacale d'urine
et de désinfectant le silence souterrain ponctué à intervalles réguliers par les bruits des chasses d'eau à déclen-
chement automatique tous à la queue leu leu errant
dans les corridors compliqués de ce comment appelle-t-on
l'endroit où vont les petits enfants morts avant d'avoir
été baptisés ? aux étincelantes voûtes de céramique
blanche jusqu'à ce qu'Il les appelle enfin à lui s'élevant
alors en longues théories de complets vestons et de robes
désuètes chantant Sa gloire arrachés sauvés du sein de
la terre les yeux clignotant dans la lumière retrouvée
tous les âges et toutes les professions mêlés 1 jeune
femme 1 jeune homme à lunettes 1 ménagère 2 écoliers
1 long type maigre 1 couple 2 ouvriers l'un portant
un veston marron fatigué sur des blue-jeans l'autre une
salopette beige...

Longtemps après sa mort la mort elle-même a gardé
pour moi cette fade odeur de sueur qui s'exhalait d'eux
emplissait l'étroit vestibule ou plutôt couloir dans les
demi-ténèbres qui régnaient là en permanence, non pas
systématiquement entretenues comme dans son bureau
par crainte du soleil et de la chaleur mais parce qu'il
(le vestibule) n'était éclairé que par la porte doublée de
l'inévitable grillage à moustiques et donnant sous l'épaisse
tonnelle de roses thé de sorte que, même lorsque le
battant en était ouvert, il ne pénétrait qu'une lumière
déjà assombrie, verdâtre, encore absorbée par ce même
papier funèbre à palmettes vert olive qui tapissait aussi

son bureau où il se tenait assis, éclairé par la lueur jaunâtre de l'ampoule électrique, comme une sorte de personnage lui aussi funèbre, devant de petits tas de billets et de pièces de monnaie, les fantômes gris verdâtres entrant un à un, se tenant auprès de lui dans cette odeur de fatigue et de caveau pendant un moment durant lequel on pouvait entendre un bruit de papier froissé et de tintement de métal, puis ressortaient. Comme une sorte de nourriture de viatique qu'ils seraient venus recevoir de sa main, ces pièces que l'on glissait autrefois dans la bouche de ceux qui devaient payer leur passage à travers... Alors sans doute plus que le prix d'un simple billet de métro. Enfers aux voûtes de porcelaine blanche émaillée parfumés à la créosote. Dans l'Enéide ou quoi ? Quelque chose d'obscur marron un ciel cuivré avec des fumées rougeoyantes dans le fond des éclats métalliques les reflets orange et noirs des incendies sur les flancs des cuirasses les yeux noyés révulsés des femmes tordant leurs bras et celle fuyant qui se retourne pour regarder derrière elle le visage éclairé par les flammes et celui qui portait le vieillard barbu sur ses épaules et la mer amère noire fouettant le goût du sel sur les lèvres les récifs noirs aux noms de monstres cernés d'écume et la déesse aux pieds ailés apparaissant dans les nuées appuyée sur une lance coiffée d'un casque de bronze surmonté de plumes d'autruche blanches roses safran : une draperie bleu vif serpente autour de son corps d'une main elle apaise les vagues furieuses dans lesquelles. Versions latines dont j'ânonnais le mot à mot comme une écœurante bouillie jusqu'à ce que de guerre lasse il finisse par me prendre le livre des mains et traduire lui-même

César la Guerre des Gaules la Guerre Civile ⟶ s'enfonçant dans la bouche ouverte clouant la langue de ce. Latin langue morte.

Eaux mortes. Mort vivant. *Je comprends parfaitement que tu aies décidé de ne rien faire naturellement c'est de ta part purement et simplement une question de paresse* mortellement triste *mais après tout quoique tu ne puisses pas encore le savoir* Je ne savais pas encore *puisque c'est aussi une chose qu'il faut apprendre et qu'apparemment tu as pris la ferme résolution de ne rien faire* bois mort feuille morte *mais peut-être as-tu raison après tout tout savoir ne débouche jamais que sur un autre savoir et les mots sur d'autres mots* la mort dans l'âme la peine de mort Je ne savais pas encore pour moi silhouettes grisâtres indistinctes attendant silencieusement dans la pénombre verte revêtues de choses pendantes informes terreuses molles exhalant cette âcre odeur de fatigue de sueur morts de fatigue je ne savais *d'autres mots comme Travail ou Devoir même écrits avec une minuscule et au pluriel qui te font sans doute ricaner* pas encore fantômes aussi mais pisseux sur une autre presque effacée prise sans doute à la sortie d'un de ces bals Quat'z Arts où *ricaner mais enfin dans la mesure où il te faudra tout de même vivre au milieu de tes semblables et pas dans une forêt vierge en te nourrissant de bananes il y a un certain nombre de nécessités comme*

LA BATAILLE DE PHARSALE

*boire et manger porter une chemise et un pantalon à
moins que tu ne décides de te promener tout nu* sortie
d'un bal des Quat'z Arts où l'on distinguait vaguement la
forme ou plutôt la tache claire corps d'un type entièrement nu c'est-à-dire l'éclair violent du magnésium sup-
primant ombres et modelé une vague forme blanche ou
plutôt jaune pâle titubant ivre probablement soutenu
d'un côté par une femme dont l'attitude maternelle
aidante sans doute de celles qui vont remuer le dîner
qui mijote sur le réchaud à gaz avant de revenir prendre
la pose odalisque sur le tapis tunisien contrastait avec
la demi-nudité *par conséquent il faudra au moins que tu
puisses articuler de façon à peu près intelligible le mot
chemise et le mot pantalon ou bien te résigner alors
à t'exprimer simplement au moyen de gestes* coiffé d'un
casque étincelant brandissant au-dessus de lui une épée
de carton les genoux à demi ployés comme un guerrier
blessé exsangue livide et au bas de son ventre une tache
d'un jaune plus sombre *et de grognements quand tu
entreras dans un magasin par exemple en levant les bras
au-dessus de ta tête comme un homme qui enfile les
manches d'une chemise* floue où pendait fragile et d'une
teinte plus foncée que le reste du corps cette espèce de
tuyau comme le prolongement *et après en enjambant
un imaginaire et invisible pantalon que tu remonteras
ensuite toujours invisible jusqu'à tes hanches* d'organes
intérieurs mous vulnérables *alors très bien on peut au
moins te prédire un succès assuré bien sûr tu peux
aussi répudier tout cela et*

19

LA BATAILLE DE PHARSALE

Peut-être le rideau derrière le vantail de droite avait-il légèrement bougé. Ou le vent ?

Disant que la jalousie est comme... comme...

Me rappelant l'endroit : environ dans le premier tiers en haut d'une page de droite. Pouvais ainsi réciter des tartines de vers pourvu que je réussisse à me figurer la page et où dans la page

coiffées de hauts turbans cylindriques chaussaient des lanières rappelant les cothurnes selon Talma ou de hautes guêtres

avant que l'Allemagne ait été réduite au même morcellement qu'au Moyen Age la déchéance de la maison de Hohenzollern prononcée et

une certaine migraine certains asthmes nerveux qui perdent leur force quand on vieillit. Et l'effroi de s'ennuyer sans doute

sur d'impalpables ténèbres comme une projection purement lumineuse comme une apparition sans consistance et la femme qu'en levant les yeux bien haut on distinguait dans cette pénombre dorée

pas seulement les coiffures surmontant les visages de leurs étranges cylindres

arrêter un instant ses yeux devant les vitrines illuminées je souffrais comme

modèle petite garce qui le trompait avec tout le monde Ce pauvre Charles avec les femmes il était d'une naïveté et celle-là pour enlever sa culotte il ne lui fallait

Faire semblant d'enlever je veux dire d'enfiler un invisible pantalon puis le remonter le long des hanches.

LA BATAILLE DE PHARSALE

Le V et le A remplacés par Comment dire : idéogrammes ?
LA MAISON DU ᴠESTON ET DU PᴀNTᴀLON
Grimpant, en argot. On dit aussi pour une femme : se faire grimper. Certain d'avoir entendu des bruits étouffés derrière la porte quand il avait frappé. Des chuchotements. Le corridor était peint d'une couleur bleu-gris, froide, assez soutenue jusqu'à un mètre environ, plus claire au-dessus. Poste d'eau — une sorte de petit lavabo en tôle émaillée avec une grille au fond et un robinet de cuivre qui gouttait — à son extrémité, là où il formait un T avec l'autre corridor. La peinture des murs était éraflée et rayée, comme couverte de cicatrices, quelquefois involontaires (un trait onduleux, laissant à nu le plâtre, courant à la hauteur de la taille, laissé par le coin d'un meuble trop large transporté à main d'homme et qui avait frotté là), d'autres fois volontaires, quoique sans motivations précises, à part un nom (MARCEL) griffonné au crayon, les mains qui avaient laissé là leurs traces paraissant le plus souvent s'être attachées à perfectionner les déprédations antérieures, comme, par exemple, agrandir un trou ou creuser avec soin des croisillons. Les portes étaient toutes uniformément peintes du même gris-bleu soutenu qui couvrait la partie inférieure des murs et ne portaient pas d'autre indication qu'un numéro en chiffres noirs sur une petite plaque émaillée ovale à fond blanc au-dessus de laquelle, sur l'une d'elles, une punaise rouillée retenait une carte de visite légèrement de travers. D'où il était il pouvait distinguer les caractères de cursive inclinée, mais il ne pouvait pas lire

21

le nom. Maintenant on n'entendait absolument aucun bruit, sauf celui de la goutte qui à d'assez longs intervalles se détachait du robinet du poste d'eau et allait s'écraser sur la grille, se pulvérisait. Sur le plancher grisâtre les éclaboussures avaient dessiné un croissant marron aux bords dégradés qui reproduisait la courbe en demi-cercle de la cuvette.

Dard dans la bouche mort dans l'âme je ne savais pas. Sans parler de mots comme passion ou amour même écrits avec un p ou un a minuscules et au pluriel tout juste bons à faire ricaner. Je ne savais pas encore un certain nombre de nécessités pas encore eaux mortes langue morte parler par signes je voudrais une 🏛 et un 𝈖 à pont à fermeture éclair à braguette espèce du tuyau mou pendant prolongement fragile d'organes tièdes intérieurs dard rose ceinture dégrafée tombant en accordéon sur les mollets alors rouge vif dressé

Restant là à écouter le silence *arrêter un instant ses yeux devant les vitrines illuminées je souffrais comme... tissue seulement avec des pétales de poiriers en fleurs Et sur les places les divinités des fontaines publiques tenant en main un jet de glace... édicules Rambuteau s'appelaient des pistières Sans doute dans son enfance n'avait-il pas entendu l'o et cela lui était resté Il prononçait donc ce mot incorrectement mais...* Entendant à de lents intervalles (toutes les dix secondes environ, les comptant 1 2 3 4 5 6 7 ... pendant un moment) l'écrasement régulier de la goutte d'eau sur la grille (les fines gouttelettes des éclaboussures brillaient d'abord sur le plancher, pas plus grosses que des têtes d'épingle, comme une poussière d'argent, puis le bois les absorbait et tout était simplement marron), percevant les pulsions régulières de son sang dans ses artères (et aussi, parvenant de très loin, comme d'un monde perdu, à travers des épaisseurs d'années-lumière, parfois, l'écho assourdi, ténu, d'une trompe d'auto, d'un moteur), se maudissant de ne pas s'être approché silencieusement et de ne pas avoir écouté avant de frapper (et croyant entendre, certain d'entendre derrière le mince panneau de bois les deux respirations les deux corps immobiles), se méprisant : l'esprit, la raison, la fierté se reprenant, se secouant, tournant brusquement les talons, se mettant en marche, reparcourant le couloir en sens inverse, s'éloignant, redescendant les étages, sortant, retrouvant l'air libre, le soleil, les autos, les bruits, les passants, la bouche du métro — et son corps, ses jambes, ses pieds, toujours cloués à la même place, retenant lui aussi sa respiration, regardant sans la voir la même éraflure rayant la peinture bleu-gris, non pas d'un blanc terni comme le plâtre du mur mis à nu mais là (c'est-à-dire sur la porte, exactement à la hauteur de ses yeux) révélant le bois bon marché, d'un jaune ocre foncé, le trait légèrement courbe bordé à droite et à gauche de petites arêtes irrégulières dessinées par les fibres du bois déchirées et inclinées en tous sens, poilu pour ainsi dire.

Ligne rousse en arête ébouriffée partageant le ventre descendant du nombril jusqu'au. Oreille qui peut voir. Les yeux bandés capable de nommer les objets que dési-

23

gnait la baguette le contenu d'un portefeuille la couleur de la cravate d'un spectateur avec les détails du dessin un chapeau.

Des éraflures couleur rouille rayaient le plateau de la table, certaines légères, simplement jaunâtres, d'autres plus larges, ou plus anciennes, laissant voir la tôle rouillée

Robe noire sans ornement se tenant debout rigide dans la lumière bleuâtre du projecteur une main à la hauteur de son front le pouce et l'index comprimant le bandeau sur chacune des deux paupières les autres doigts écartés en éventail le visage traditionnellement douloureux blafard légèrement levé immobile. Le pinceau d'un autre projecteur se déplaçait sautait brusquement d'un spectateur à l'autre d'une cravate à un chapeau. Le premier semblait la tenir rivée au sol, comme un clou. Les deux rayons lumineux où dansait une poudre d'argent dessinaient un V renversé dont l'une des branches s'écartait ou se rapprochait par saccades. Pouvez-vous me dire ce qui se trouve. Ecoutant la sueur je veux dire l'oreille voyant à travers le mince panneau de bois sueur brillante sur leurs membres emmêlés immobilisés comme ces images de film coincés dans la posture où bête à deux dos avec des détails extrêmement précis d'autres flous ailes de ces oiseaux en vol sur les instantanés certaines parties la tête les genoux les pieds nets tandis que les plumes battantes dessinent des traces fuligineuses des éventails transparents quel couple d'amants surpris groupe sculpté dans la pierre...

d'autres, plus larges, où la pointe du clou ou du couteau qui les avait faites avait arraché sur son passage à la mince couche de peinture de minuscules écailles ce qui donnait aux lèvres de l'éraflure l'aspect dentelé de ces côtes rocheuses tourmentées

... enfermés tels quels immobilisés dans un filet de métal chiens collés penauds. La plante des pieds d'un rose abricot au talon et à l'extrémité les orteils abricot aussi. Au milieu la peau cornée perdait la couleur abricot. Plissée par la position crispée des pieds noués sur les reins musculeux

à un endroit l'humidité (sans doute les éponges passées et repassées) attaquant peu à peu le métal à partir d'une simple éraflure...

pierre pouvant voir je pouvais entendre leur sueur pellicule peu à peu plus froide oreille voyant l'enchevêtrement confus de membres avec des parties nettes d'autres bougées comme s'ils avaient été un de ces couples de créatures mythiques pourvus de plumes d'aigrettes environnés de battements d'ailes éventails entendant les battements de mon sang en afflux pressés frappant la goutte d'eau parfois l'écho assourdi d'une trompe d'auto d'un moteur je souffrais comme ailés rose vif gonflé mais pas dressé enfoncé les soldats romains étaient armés du pilum lourd javelot terminé par une courte pointe triangulaire trapue en forme de. Pilon. Bouche rose ouverte où.

... avait gagné de proche en proche finissant par l'élargir au point qu'elle ressemblait maintenant à une île de forme allongée, la Crète par exemple, creusée d'anses de golfes hérissée de caps le tout d'un brun-rouge sur le fond de peinture bleue. Une mince ligne jaunâtre (là où la rouille commençait à attaquer la pellicule de peinture) cernait les contours, comme les bords purulents d'une blessure. Mais sans doute ne passaient-ils l'éponge qu'un jour sur trois car il y avait encore des traces baveuses en forme de croissants ou parfois de cercles complets laissées par les pieds des verres. A deux dos à quatre bras quatre jambes entremêlés soudain de pierre n'osant pas bouger pellicule de sueur glaçant peu à peu sur leurs corps nus. Je regardais les bulles argentées monter dans le verre venir crever à la surface en pétillant. Il n'y avait que trois tables alignées sur l'étroit trottoir *la théorie topographique et tactique de cette bataille a suscité plusieurs hypothèses (Leache, Hungey, Cel. Stoffel, Kromayer, Lucas, Y. Berquignon, Fr. Stälin, et, plus récemment, M. Rambaud et W. E. Gevatkin). D'après les résultats actuels...*

Est-ce que par hasard tu aurais de l'aspirine sur toi ou est-ce que tu peux te rappeler à quel endroit dans la voiture... Nikos fouilla dans la poche de sa chemise en extirpa un stylomine une note d'hôtel froissée la page arrachée d'un carnet au bord crénelé avec quelque chose griffonné dessus et une plaquette d'aspirine qu'il me tendit J'en avalai deux coup sur coup Le second resta coincé dans ma gorge et je sentis le goût plâtreux et fade Et si tu demandais au patron du café peut-être qu'il saura quelque chose ? Autour d'une des tables ils étaient cinq assis sur des chaises de paille dans d'identiques

vêtements grisâtres élimés avec d'identiques visages couleur de terre usés tristes nous regardant me rappelant le couloir obscur l'obscure lumière verte et quel viatique alors dans leur bouche ? Goût salé du cuivre sur la langue Aucun verre n'était posé sur la toile cirée à quadrillage écossais qui recouvrait leur table Quand je les regardai ils détournèrent les yeux *Pompée venu de Larissa avec 110 cohortes (117 d'après César) et 7000 cavaliers avait établi son camp à l'Est sur les pentes du Karadja Ahmet César venu par l'O. avec 87 cohortes et 1000 cavaliers s'était campé à 5,5 km à l'O. et au N. de la pointe du mont Krindir la ligne de bataille s'étendit du N. au S. sur une longueur de*
il dit qu'il n'y a pas de montagne ici qui s'appelle le Karadja Ahmet il dit qu'il connaît seulement une montagne Krindir
De nouveau Nikos lui parla en grec Même visage couleur tabac que les autres un peu plus gras seulement et une moustache Il l'écouta avec attention A la fin il hocha la tête se tourna vers les cinq assis autour de la table veuve de consommations Tout en leur expliquant il nous désignait de rapides coups d'œil dans notre direction Ils cessèrent d'avoir l'air indifférent Puis l'un d'eux se mit à parler en agitant les mains Je les laissai discuter me levai et pénétrai à l'intérieur du café Assis autour d'une table quatre types jouaient aux cartes Près de la fenêtre un autre lisait un journal déployé je pus voir le nom ΕΛΕΥΘΕΡΙΑ Les murs de la salle étaient peints d'un bleu vert Sur le plus grand il y avait un de

27

ces porte-manteaux faits de baguettes de bois imitant
le bambou entrecroisées dessinant trois losanges Au-
dessus dans un cadre doré un chromo représentant une
femme assise les jambes croisées dans une robe de soie
brillante rose très décolletée comme en portaient les
stars d'Hollywood vers 1925 avec de longs colliers de
perles et deux colombes à ses pieds Plus loin un agrandissement photographique en noir et blanc représentant
l'église Sainte-Sophie à Constantinople entourée de ses
quatre minarets et au-dessous un panneau publicitaire
pour les machines agricoles Singer où sur la gauche en
face du commentaire correspondant on pouvait voir l'une
au-dessus de l'autre quatre de ces machines dessinées
avec précision coloriées de rouge et de vert avec des
accents imitant les reflets de lumière sur les parties
courbes ou bombées Au milieu du panneau à la place
d'honneur je vis un autre chromo encadré d'une baguette
argentée, un rectangle allongé où sur la gauche devant
une tenture bleue se tenait un homme à longue barbe
coiffé d'une calotte orange vêtu d'une robe verte à col
de fourrure à demi couché accoudé sur des coussins mauve
pâle sa main droite négligemment posée sur l'embouchure
de cuivre d'un narguilé la main gauche sur l'épaule
d'une jeune femme à l'épaisse chevelure noire coiffée
elle aussi d'une petite calotte mais brodée de perles et
appuyée d'un coude sur la cuisse du vieillard son opulente poitrine contenue avec peine dans un soutien-gorge
doré les jambes à demi voilées par une culotte de gaze
bleuâtre le vieillard...

28

rencontrée la première fois chez Van Velden à l'épo-
que de la période des Odalisques quand après un
voyage en Afrique du Nord il faisait poser ses modèles
sur des fonds de décors chatoyants affublées de pantalons rouges ou bleus bouffants serrés aux chevilles et de
boléros ouverts sur leurs seins couchées sur des divans
ou des tapis orientaux dont les couleurs violentes posaient
des reflets sur les chairs pouvant voir cette espèce de
couverture tunisienne à bandes orange noires blanches
et vertes que sa peau là où elle était en contact avec le
... et la jeune femme les yeux dans les yeux d'autres
jeunes femmes s'ébattant nues à l'arrière-fond et à droite
dans une piscine d'eau bleue entre des colonnettes qui
laissaient voir dans le lointain un paysage avec un lac
une mosquée sur une île et au fond des montagnes bleu
pâle Le jeune garçon s'approcha et me montra le chromo
du doigt Il semblait le considérer comme une œuvre
de grande valeur et le personnage barbu avec respect
et admiration Il me dit quelque chose en grec Voyant
que je ne comprenais pas il renonça répétant seulement
plusieurs fois en détachant bien les syllabes les deux
noms Ali et Pacha me montrant du doigt le vieil homme
à barbe blanche Un des quatre joueurs de cartes se
retourna et dit aussi quelque chose Je hochai la tête
en signe d'approbation souris en disant Efkaristo poli et
sortis Dehors la discussion continuait toujours Nikos
leva la tête Où étais-tu passé ?
je fis un geste vers l'intérieur du café Alors ?
il dit qu'il y a eu une bataille contre les Turcs

explique-lui que c'était bien avant Dis-lui avant Jésus-Christ

il traduisit Le patron écoutait avec une attention perplexe Il écarta les bras dans un geste d'impuissance prit les autres à témoin Ils nous regardèrent d'un air réprobateur

qu'est-ce qu'il dit ?

il dit Avant le Christ mais alors comment savoir ?

le rebord de l'étroite chaise me sciait les cuisses J'essayai de ne pas mettre mes pieds dans deux crachats qui s'étalaient sur le trottoir Je croisai mes pieds de façon que les semelles reposent de champ Mais la position était trop inconfortable Je les ramenai sous la chaise et les tins ainsi la pointe des souliers touchant seule le sol

... sur une longueur de 3 km environ dans la plaine entre ces deux collines plus probablement sur la rive g. de l'Enipeus Pompée se tenait à son aile g. flanquée ... Un nouveau venu était arrêté dans l'épaisse poussière accumulée contre le rebord du trottoir Ses vêtements étaient comme ceux des autres grisâtres effilochés flasques Il avait une tête ronde avec des cheveux courts comme coupés à l'aide d'une tondeuse à cheval une barbe de trois jours l'air intelligent Il était manifestement plus jeune que les autres mais pourtant sans âge lui aussi Il parla d'abord au patron puis aux autres puis il s'adressa directement à nous A la fin Nikos se tourna vers moi

celui-là sait Il faut prendre la première route à droite juste avant d'arriver au poste Shell

il lui sourit je lui souris aussi il nous salua de la main
tourna le dos et s'éloigna

tu crois qu'il y a quelque chose à voir ?

non dis-je Probablement des collines comme d'autres
collines et une rivière comme d'autres rivières J'ai failli
aussi crever dans un endroit où il n'y avait que des collines et une rivière comme partout ailleurs C'est toujours
comme ça Mais c'est à cause de cette version

quelle version ?

je ne savais même pas que c'était par ici J'étais tellement cancre que... Mais si ça t'embête

il fit un geste insouciant de la main On est en vacances
on est venus pour se balader pas pour faire des moyennes
non ?

si ça t'embête trop

ils nous regardaient discuter Puis ils détournèrent les
yeux Il se leva Alors tu viens ?

Nous avions pourtant laissé la voiture à l'ombre Malgré cela à l'intérieur il faisait une chaleur de four Aussitôt
assis je me mis à ruisseler Tout d'un coup Comme l'eau se
met à couler d'un robinet Je roulai lentement mais arrivés
aux pompes à essence nous n'avions vu aucune route à
droite Je continuai toujours au ralenti Les maisons s'es-
paçaient entourées maintenant de jardinets les plus neuves
en ciment armé comme des caisses J'en vis une peinte
encore dans le goût macédonien avec un péristyle vert
soutenu par une colonne mauve des murs bleus et les
encadrements des fenêtres rouges avec des filets jaunes
Un peu plus loin un embranchement s'ouvrait sur la

droite Je le pris nous passâmes entre des champs de coton j'accélérai L'air qui pénétrait dans la voiture semblait fait d'une matière épaisse irrespirable le ciel semblait lui aussi fait de cette même matière blanchâtre pesante pâteuse et molle les rayons le soleil aussi c'est-à-dire que la chaleur ne frappait pas d'un côté celui d'où venait la lumière mais vous pressait de partout à la fois aussi bien du côté de l'ombre que de celui du soleil Des arbres maigres recouverts d'une couche de poussière grisâtre bordaient la route puis il n'y eut plus d'arbres Sur la droite une petite église apparut de style byzantin mais neuve en ciment posée directement sur la terre battue poussiéreuse entre deux champs de coton Par la porte ouverte on pouvait voir l'intérieur obscur et les petites flammes jaunes des cierges allumés Des femmes vêtues de noir se tenaient dans l'entrée elles se retournèrent et nous firent des signes amicaux de la main Peu après je vis un panneau sur le bord de la route portant l'inscription

Σ. Σ Τ Α Θ Μ Ο Σ
Φ Α Ρ Σ Α Λ Ω Ν
R. R. S T A T I O N
F A R S A L A

les caractères grecs se détachaient en jaune sur le fond bleu ciel les lettres de la transcription en caractères latins étaient blanches La route prenait fin devant une maisonnette au toit de tuiles posée elle aussi directement sur la terre marron au bord d'une voie de chemin de fer

Cinq ou six maisons aux murs de boue séchée formaient
comme une petite place devant la gare Entre deux dans
un passage étroit on pouvait voir l'arrière d'un camion
de maraîcher aux ridelles d'un rose fané Une poule
blanche au maigre cou déplumé couleur de viande crue
se tenait sous le moyeu entre les roues Elle battit tout
à coup des ailes et disparut en caquetant sous le camion
A deux kilomètres environ sur la droite on pouvait voir
une ligne de collines Un gros homme en manches de
chemise et tablier sortit de la porte d'une guinguette
devant laquelle des chaises et deux guéridons sans clients
étaient disposés à l'ombre d'une treille soutenue par des
perches Il s'avança vers nous en criant quelque chose

il dit que si nous cherchons la route de Larissa nous
nous sommes trompés

explique-lui dis-je Il sait peut-être

ils commencèrent à discuter en grec *avec 87 cohortes
et 1 000 cavaliers s'était campé à 5,5 km à l'O. et
au N. de la pointe du mont Krindir* robes des chevaux
attachés çà et là entre les arbres étagées sur le flanc de
la pente couleur acajou bronze clair hachées par les
troncs et les tentes couleur cachou les fumées du bivouac
s'élevant bleues verticales un trompette s'exerçait l'écho
métallique jaune des notes se répercutant dans les bois
mouillés il y avait une plage au bord de l'étang avec
quelques cabines peintes en bleu et blanc une guinguette avec une pergola des panneaux aux vives couleurs
en tôle émaillée vantant une bière ou des marques
d'apéritifs MARTINI dans un rond rouge ou SAINT

LA BATAILLE DE PHARSALE

RAPHAEL étaient encore accrochés à côté de la porte
les portes des cabines battaient dans le vent aigre l'une
d'elles pendait de guingois à moitié arrachée un de
ses coins enfoncé dans le sable je ne savais pas encore
que la mort même sanglante...

au bout de quelques jours le sol meuble détrempé de
la forêt ne fut plus qu'une boue noirâtre où l'on enfonçait jusqu'aux chevilles

...avait aussi cette couleur grisâtre sale les bourgeons
du printemps commençaient à éclater charmes aux feuilles tendres finement plissées gaufrées de part et d'autre
de la nervure médiane les gardes des sabres en cuivre
étaient du même jaune que les trompettes de l'autre
côté de l'étang on apercevait un blockhaus grisâtre lui
aussi avec des fentes noires yeux sous la visière d'un casque un crâne gris plus tard quand nous repassâmes prison-
niers j'en vis un éclaté exactement comme une grenade
mûre son écorce de béton souillée de traces noirâtres
l'étang était couleur d'étain le vent le ridait en fines
vaguelettes qui venaient mourir clapoter parmi les joncs
des rives lécher avec un faible bruit le sable de la plage
piétiné par les chevaux nous les menions boire sans
selle avec juste un bridon sentant dure dans la fourche
de nos cuisses leur échine l'os comme si déjà nous che-
vauchions leurs squelettes combien de chevaux combien
de milliers de chevaux combien de dizaines la plage
piétinée n'était plus qu'un enchevêtrement confus d'em-
preintes de sabots se superposant se détruisant les unes
les autres les plus nettes tout à fait au bord profondes

34

où l'eau grise stagnait dessinait les formes des fers aux
crêtes rongées par les minuscules vaguelettes s'effritant
s'effondrant une pancarte indiquait ÉTANG DE LA FOLIE
autrefois l'été il devait y avoir des enfants barbotant
des parasols c'était surtout le soir après la soupe qu'on
pouvait les entendre dans le crépuscule s'amusant à
s'exercer soufflant avec parfois de fausses notes des
couacs dans leurs trompettes de loin en loin se répondant d'un escadron à l'autre le son se répercutant sous
les hautes futaies certains assis astiquaient leurs armes
je ne savais pas que la mort
     mortellement triste
     Un autre, un maigre qui ressemblait à un Charlot
triste s'était approché Ils discutaient entre eux De temps
en temps ils faisaient un geste du bras mais dans des
directions différentes
     c'est une salade dit-il Ils parlent encore d'une autre
bataille celle de Kynos Képhalai Le mont Krindir c'est
cette colline là-bas mais il faut repasser par le village
qu'est-ce qu'on fait ?
     il doit bien y avoir un moyen en coupant à travers
champs ils ont tout de même des chemins pour aller
ramasser leur coton non ? Nous les remerciâmes Je fis
faire demi-tour à la voiture et m'engageai dans un chemin assez large qui s'ouvrait entre la station et la guinguette Nous entendîmes crier Il se retourna Qu'est-ce
qui se passe ? dis-je Ils font des gestes avec leurs
bras Ils ont l'air de vouloir dire que ce n'est pas le
bon chemin Ça mène bien quelque part dis-je Le che-

min en terre longeait la voie ferrée entre celle-ci et un champ de coton Au début cela n'alla pas trop mal mais au bout d'un moment il commença à onduler Ce n'étaient pas à proprement parler des trous et des ornières mais des sortes de vagues solidifiées en terre avec des creux si profonds que la voiture se mit à rouler et à tanguer exactement comme un bateau Une première fois puis une seconde le carter râcla le sol la troisième fois il cogna durement Je n'allais pourtant pas plus vite qu'un homme au pas

on ne peut pas continuer dis-je Et d'ailleurs ça ne mène à rien

à l'horizon des champs de coton les collines paraissaient encore plus lointaines Les bâtiments de quelque chose qui devait être une ferme s'élevaient à droite Toujours à la vitesse du pas la voiture roulant et tanguant je réussis à la sortir du chemin et à l'amener sur le terre-plein entre les bâtiments Je fermai le contact et serrai le frein

tout avait l'air abandonné Sur un côté du terre-plein à la lisière du champ de coton il y avait seulement une vieille moissonneuse-lieuse Mac Cormick démantibulée et rouillée à demi renversée un enchevêtrement de tringles de roues dentelées et de tubes hérissé de pointes de tiges cassées Comme une épave rejetée par la mer échouée après un déluge Là depuis très longtemps Des ossements la carcasse décharnée de quelque insecte antédiluvien géant armé d'antennes de griffes La seule pièce intacte était le siège du conducteur tout en haut de l'amas de ferraille se détachant sur le ciel une sorte de feuille de nénuphar creuse percée de deux rangées concentriques de trous et portée par sa tige Pourtant ça avait dû fonctionner Il devait y avoir entre toutes ces tringles ces cables ces essieux et ces roues dentelées quelque chose qui si l'on y regardait bien si l'on savait s'y

alors qu'est-ce qu'on fait ?

est-ce qu'il te reste de l'aspirine ?

il me fallut plusieurs gorgées pour les faire descendre L'eau de la gourde était chaude aussi Le torchis ocre dont était fait le mur de la ferme apparaissait par plaques sous le crépi de chaux grisâtre parsemé de signes gravés au couteau constellé à hauteur d'homme ou plutôt à hauteur de main c'est-à-dire dans une bande horizontale et irrégulière d'environ un mètre de large d'un désordre de figures géométriques au dessin maladroit des triangles des équerres des T de différentes tailles parfois se chevauchant souvent accompagnés de dates Dans un carré divisé en deux rectangles on pouvait lire en haut KΠΓ et dans le rectangle inférieur plus petit de forme allongée les chiffres 1 9 6 et 0 Il y avait aussi les initiales BΠΓ répétées trois fois en différentes grandeurs ΔMP et aussi les lettres Δ et Π inscrites dans l'angle formé par la partie supérieure d'un immense Σ dont l'angle inférieur contenait en tout petits chiffres la date 1966 Je restai debout à côté de la voiture tenant toujours la gourde débouchée à la main regardant les champs de coton les collines l'incohérent amas de ferraille démantibulé Le soleil s'était voilé Par moments les bouffées

d'un vent mou et chaud agitaient les plants de coton
AHENOBARBUS SCIPION PUBLIUS SYLLA CNAEUS DOMITIUS
je ne savais pas encore couleur grise écorce du béton
fendue éclatée comme un fruit mûr comme une...

grenadier qui poussait contre le mur au-dessous de la
fenêtre de son bureau les plus hautes branches sur-
plombant l'appui leur ombre jouant sur ces volets toujours obstinément clos et lui derrière dans cette odeur
sûre de moût d'alcool de choses en décomposition comme
un cadavre jalousie page de droite vers le haut environ
le premier tiers coiffées de ces hauts cylindres édicules
Rambuteau s'appelaient des pistières Sans doute dans
son enfance n'avait-il pas entendu l'o et cela lui était
que nous appelions le raidillon aux aubépines et où
vous prétendez que vous êtes tombé dans votre enfance
amoureux de moi alors que je vous assure Mains sous
le kimono son dos comme deux colonnes dures de part
et d'autre du sillon de la colonne vertébrale puis elles
trouvais cette surface plane soyeuse couverte d'un léger
duvet plus bas encore fesses dans mes paumes un doigt
entre duvet sa bouche disant dans la mienne oui oui oui
oreille qui peut voir moiteur perlant taisez-vous méfiez-
vous des oreilles ennemies vous écoutent tous les deux
immobiles pétrifiés se retenant de respirer dans la posture gouttes d'eau s'écrasant une à une 2 religieuses
tout en noir une jeune et une d'une cinquantaine d'années un liseré blanc bordant leur voile sur le front
1 homme en veste de tweed marron à petits carreaux
polo bleu ciel moustache poivre et sel dans un visage

ridé quoique encore jeune 1 femme âgée en noir la robe pendant en plis flasques de ses épaules des mèches de cheveux gris pendant un sac noir pendant au bout de son bras chaussée d'espadrilles orange les têtes apparaissant d'abord puis les épaules le buste s'élevant verticaux immobiles sur le chemin de nuages et alors Lui assis en face de la bouche du métro jupitérien les jambes encore drapées dans les plis de son suaire le buste nu où l'on peut voir la plaie sanglante à son flanc siégeant sur un trône de coton hydrophyle les ombres des platanes de la place jouant sur lui sa barbe blonde la croix légèrement appuyée contre son épaule et qu'il maintient d'une main où l'on peut voir également le trou stigmate trois pigeons un beige-rose deux gris marchant de-ci de-là sur l'asphalte à ses pieds et au-dessus de lui parmi les angelots ailés ce triangle avec un œil

amas enchevêtrement d'armes rouillées amoncelées chacun des vaincus jetant javelots pilums épées

dessin aussi sur le crépi lépreux du mur parmi les triangles les carrés et les équerres un ovale pointu vertical ou plutôt légèrement incliné vers la droite et entouré de traits divergents comme des rayons des cils un œil dont la prunelle aurait été remplacée par un trait vertical épais (ou peut-être un V renversé aux branches serrées) dans le sens de la longueur mais qui n'atteignait ni l'une ni l'autre des pointes Un peu au-dessus et à droite on avait écrit M O U N A

alors qu'est-ce qu'on fait maintenant Ça ne mène à rien ici

LA BATAILLE DE PHARSALE

non dis-je J'en ai peur
    amoncelées enchevêtrées se rouillant lentement Un
jour pourtant ça avait fonctionné Il suffisait de savoir
comment tout ça les pigeons le silence le bruit espacé
des gouttes d'eau s'écrasant javelots épées lances comme
ce jeu de jonchets dont il s'agit de sortir l'une après
l'autre les petites pièces crochues pourvues de barbes
de pointes pilum frappant entrant et ressortant à plusieurs reprises de la blessure le renflement de sa pointe
triangulaire arrachant aux lèvres le sang jaillissant par
saccades brûlant Elle m'inonda se mit à hoqueter et crier
balbutiant des mots sans suite donnant de violents coups
de reins
    seulement un courant d'air peut-être le vantail droit
de la fenêtre parut bouger le reflet du nuage bougeant
dessus horizontalement reculant puis cela s'immobilisa
le nuage reprit sa course glissant silencieusement et peu
après il n'y eut plus que du bleu je souffrais comme ...
alors ?
    tu as raison ça ne mène à rien on va revenir d'où
on était partis peut-être que cette fois on
    Jaune puis noir puis jaune de nouveau, le corps lui-
même, dans l'ascension rapide, verticale, réduit à un
trait : pas même le léger renflement en forme d'olive :
un trait — et pas même un trait : une trace, un sillage
aussitôt effacé, les deux ailes noires déployées, symétri-
ques — ou du moins, l'œil, la rétine, incapable de
suivre l'enchaînement foudroyant des diverses positions
de l'aile en vol et ne retenant que celle-là — peut-être

40

parce que le pigeon s'est trouvé dans cette phase du vol juste au moment où il s'est interposé entre le soleil et l'œil, de sorte que, bien après sa disparition, tout ce qui a persisté ç'a été d'une part, pour l'esprit, non pas un oiseau mais seulement cette impression, déjà souvenir, de foudroyante montée, de foudroyante ascension verticale, et d'autre part, pour l'œil, cette image d'arbalète, et alors la voûte de flèches, les traits volant dessinant une arche entre les deux armées *s'étant reposés un petit moment et ayant repris de nouveau leur course ils lancèrent leurs javelots et rapidement...*

Il y avait seulement deux pompes devant le poste Shell, une pour le fuel, une autre pour l'essence. Il n'y avait pas de super. Les pompes étaient d'un vieux modèle à main et tellement recouvertes de poussière et de taches de cambouis que leur peinture jaune transparaissait à peine. Un peu en arrière s'ouvraient les portes coulissantes d'un hangar de tôle ondulée. Trois hommes aux avant-bras noircis s'affairaient à changer le bloc moteur d'un camion. L'un d'eux releva la tête et s'avança vers nous en s'essuyant les mains à un chiffon graisseux. Dis-lui de nous mettre trois gallons, dis-je, et essaie de savoir d'où part cette route dont le type du café a parlé.

A côté du hangar, dans un enclos limité par un treillage à mailles hexagonales des pneus hors d'usage s'amoncelaient en un tas grisâtre qui venait mourir au pied d'un vieil autobus sans roues et sans vitres posé sur le ventre. Dans un cartouche au-dessus de ce qui avait été la

cabine du chauffeur on pouvait lire en lettres blanches
sur fond noir ΦΑΡΣΑΛΑ-ΛΑΡΙΣΣΑ. Quelques poulets
maigres, de cette même espèce au cou dénudé, picoraient
sur le sol huileux et noir. Terre gorgée de sang. AHENO-
BARBUS LENTULUS le sort du monde. Une chatte blanche
aux yeux cernés de rose était perchée sur l'un des piquets
de l'enclos barbouillé de chaux. Un bouquet d'acacias
maigres, aux feuilles grises de poussière, fermait le fond
de l'enclos. De jeunes rejets sortaient çà et là, l'un
d'entre les pneus. Le soleil avait reparu, mais il ne faisait
ni plus ni moins chaud. Je descendis pour suivre le type
aux avant-bras maculés de noir qui nous montra un étroit
passage entre l'enclos et un mur de briques creuses. Sous
les pieds la poussière était si épaisse qu'on avait l'impression de marcher sur un tapis. Le type allongea le bras
dans l'axe du passage, la main exactement dans le prolongement, les doigts joints, puis, le bras toujours tendu,
il fit pivoter sa main vers la gauche, dans un plan vertical
et formant un angle droit avec l'avant-bras, et, aussitôt
après, dans le sens contraire. Je dis Efkharisto poli, nous
revînmes vers la voiture, y montâmes, et je démarrai.
Après avoir tourné une première fois à gauche, puis à
droite, nous sortîmes d'entre les maisons et le passage se
transforma en route. Mais elle était seulement empierrée
et creusée de nids de poule où la voiture se mit à sauter,
hoqueter plutôt. Elle montait en pente douce vers un
petit col entre la colline qu'ils appelaient le mont Krindir
et d'autres collines plus hautes à droite. Krindir c'était
un simple renflement en forme de dos de poisson aplati

LA BATAILLE DE PHARSALE

pierreux qui s'avançait comme un cap dans la plaine d'un brun violacé rigoureusement plate *flanqué par les 6000 cavaliers de Labiénus et renforcé par des troupes légères Ensuite s'alignaient les légions de Domitius Ahenobarbus Scipion et Lentulus celui-ci à l'aile droite flanqué du reste de la cavalerie César se tenait en face de Pompée à son aile droite renforcée par une troupe de 1800 légionnaires d'élite disposés obliquement en arrière de la ligne et cachés derrière un rideau de 1000 cavaliers Ensuite s'alignaient les légions de Publius Sylla Cnaeus Domitius et Marc Antoine celui-ci à l'aile g. en face de*

commemoravit : il rappela

uti posse : pouvoir prendre (qu'il pouvait prendre)

testibus se militibus : à témoin ses soldats

quanto studio : avec combien d'ardeur (de l'ardeur avec laquelle)

pacem petisset : il avait demandé la paix

à travers l'étroite fente entre les volets fermés pénétrait seule une mince équerre de soleil. Même par les plus grosses chaleurs il portait toujours une cravate. Comme sur cette photo pisseuse au milieu des types en tricot roulé l'idée ne lui serait pas venue de. HIJO DE PUTA. Il ne se décidait à les ouvrir que le soir quand il déclinait. Pendant un court moment alors la lumière grisâtre du crépuscule et celle de l'ampoule électrique luttaient à peu près égales puis celle de l'ampoule triomphait éclairant de sa lumière jaunâtre intemporelle le désordre des paperasses les bouilloires de cuivre le sombre papier à palmettes vert olive qui couvrait les murs. Longtemps après la fin des vendanges l'odeur fade de l'alcool et du sucre continuait à flotter dans la pièce. De temps à autre au cours de l'année il refaisait une pesée et aussitôt l'odeur reprenait possession de la pièce suffocante épaisse comme si elle s'était toujours tenue là comme un cadavre en décomposition caché quelque part ne cessant pas d'exister prête à

Je voudrais une ▓ et. S'exprimer par. Signes interrogés. Avant la bataille présages sacrifice aux dieux pour se concilier savoir... Entrailles questionnées fumant tièdes sur la pierre de l'autel exhalant cette odeur légèrement fétide d'intérieurs d'excréments, poche ouverte coupée en deux froncée encore remplie de grains à demi digérés foin bouillie d'un jaune verdâtre, choses molles un peu visqueuses recouvertes ou plutôt enveloppées d'une membrane transparente de couleur bleuâtre parcourue par un réseau de fines veinules violacées (l'oreille contre la chair tiède pâle du ventre écoutant cette mystérieuse palpitation pouvant voir Là où commençaient les poils la peau paraissait plus blanche encore langue écartant...) Tuyau mou comme le prolongement externe puis rose vif gonflé avec cette tête ce bourgeon au bourrelet violacé. Dans la bouche. Je souffrais comme...

Dans l'encadrement de la porte où avait disparu la fille en rouge apparut le garçon Il était en manches de chemise et portait une petite cravate noire Un tablier de toile bleue était noué autour de sa taille et descendait jusqu'au-dessous de ses genoux Il se tint un instant immobile inspectant la terrasse les sourcils froncés Il

s'avança remit en place une chaise que l'un des jeunes
gens avait placée presque au milieu du passage ménagé
entre les guéridons jusqu'à la porte repoussant légèrement l'un des guéridons qui débordait aussi puis rentra
dans le café Le jeune homme qui avait jeté le seau
quitta sa place vint s'asseoir sur la chaise que le garçon
avait rangée tourné en direction du dormeur (ivrogne)
affalé la tête entre ses bras sur son guéridon et au-dessus
duquel celui en pull-over marron était toujours penché
Sans doute dit-il quelque chose car celui au pull marron
tourna un instant la tête vers lui puis se remit à parler
au personnage affalé Le nouveau venu attira alors la
chaise dans le passage pour se trouver plus près du groupe
et se tint un moment ainsi penché en avant écoutant ce
que l'autre disait. Au bout d'un moment il se leva et
retourna s'asseoir à la place d'où il avait lancé le seau
La chaise était de nouveau au milieu du passage Le
garçon reparut dans l'encadrement de la porte s'avança
remit une seconde fois la chaise en place après quoi il se
tourna vers les jeunes gens du groupe de gauche et leur
parla en montrant la chaise Les visages des jeunes gens
étaient tous tournés vers lui ils restaient immobiles sur
leurs sièges l'écoutant Leurs attitudes exprimaient l'attention la docilité l'effort pour comprendre Le garçon fit
plusieurs fois le même geste du bras montrant la chaise
et les verres cassés les jeunes gens continuant à le regarder sans répondre A la fin le garçon tourna le dos leva
les deux bras horizontalement les deux avant-bras verticaux parallèles agitant les mains comme on fait pour

45

imiter les marionnettes les abaissa et disparut à l'intérieur

Sang des colombes égorgées sur les autels avant de donner le signal. L'un des deux pigeons gris s'envola à son tour puis l'autre. Tandis qu'ils s'élevaient on pouvait distinguer leur cou tendu leur tête leur corps renflé en olive mais pas suivre le battement rapide des ailes. Eventails flous transparents. Amour et Psyché je crois dans cette matière savonneuse blanche marbre de Carrare ou quoi elle à demi couchée une draperie cachant ses jambes le buste nu soulevé entourant de ses deux bras le cou de l'Amour penché sur ses lèvres et dans son dos des ailes de papillon en forme d'éventails chatoyantes avec ces ronds cernés de noir ces rangées d'arcades superposées multicolores. Groupe en léger relief qu'on pouvait sentir en passant le doigt à la surface de la carte postale. Environné de battements d'ailes. Sur les photos je les avais pris pour des lionnes mutilées les corps inclinés en oblique croyant que les deux boules en bas figuraient les cuisses repliées : alignements de phallus blancs dressés dans le soleil avec leurs testicules mais pas... La peau tirée en arrière formant comme une couronne plissée rose vif au-dessous du bourrelet du gland découvert brillant de salive quand elle recule sa bouche oreille qui peut voir dents blanches entre les lèvres humides brillantes elles aussi de la même salive je souffrais comme...

Plus aucun nuage maintenant dans les vitres de la fenêtre seulement le bleu du ciel la fenêtre cessant de

46

dériver immobile le vantail entrouvert immobile le rideau
de filet absolument immobile aussi

La dernière de la fournée a été une femme d'environ
soixante ans aux cheveux filasse en désordre au visage
jaune ridé vêtue d'un tricot vert décoré sur le devant de
quatre bandes jaunes un foulard d'un rose fané autour
du cou le tricot passé par-dessus une robe dont le fond
crème était décoré d'un semis de feuilles de sapin stylisées en fins traits noirs comme des arêtes de poisson,
les jambes enflées dans des bas crème, les pieds enflés
aussi chaussés de sandales à lanières. Parvenue en haut
de l'escalier elle a aussitôt tourné à gauche et s'est dirigée
vers la corbeille à détritus placée au bord du trottoir
un peu en arrière de la bouche du métro. Là elle a sorti
d'un cabas des choses enveloppées dans de vieux journaux
qu'elle a tassés dans la corbeille. Le couvercle de la
corbeille ne pouvait pas fermer. Elle a appuyé deux
fois dessus mais il est resté ouvert, à quarante-cinq degrés
environ, des bouts de journaux dépassant. Elle a alors
renoncé et s'est éloignée son cabas vide lui battant les
mollets. Ce pauvre Charles...

Kimono japonais dans lequel elle posait et dont Van
Velden avait fini par lui faire cadeau à fond orange coq
de roche avec des fleurs des chrysanthèmes ébouriffés des
oiseaux aux longs becs aux longs cous sinueux parmi
les tiges j'écartais les fleurs les hérons découvrant cette
comment dire laiteuse lait plus blanc que le blanc bleuâtre
à force d'être blanc avec des ombres d'un vert léger jade
courant sur la peau transparente me désaltérer je ne

47

pouvais finir cesser encore embarrassée dans le kimono
reflets alors abricot tango à l'intérieur de ses cuisses
écartées riant faisant entendre un bruit de gorge puis
respirant peu à peu plus fort appuyant de ses deux mains
sur ma tête l'enfonçant ses fesses froissant la soie bougeant lentement teintées d'ombres orange m'enfonçant
m'enfouissant par saccades j'écartai encore sillon bistre
au fond ma langue... Et lui Bon Dieu quand même tu
charries et ta femme qu'est-ce que bon Dieu tu ne
peux pas coucher avec elle comme tout le monde sans
faire tant d'histoires bon Dieu Et moi Comment tout le
monde ? Et lui Oh bon Dieu Et moi Qu'est-ce que tu
veux dire Comme tout le monde ? Et lui Oh bon
Dieu j'ai dit comme tout le monde fait c'est tout de
même pas la première fille que tu sautes une Et moi
Coucher avec elle comme tout le monde ? Et lui
Oh là là avec vos histoires de cul vous me faites suer à
la fin j'ai autre chose à Son visage rougeaud comme plus
rouge encore entre les favoris roux sous l'éternelle casquette de marinier ses yeux fuyants évitant de me regarder Il se remit à travailler l'air mécontent rogue faisant
mine de s'absorber Je regardai le pinceau prendre un
peu de rose géranium puis se charger de blanc au passage Il l'écrasa sur la toile le rouge ne se mélangeant pas
tout de suite dans la pâte épaisse où il dessinait de
minces filaments sinueux comme dans ces pâtes à Comme
tout le monde Comme tout le monde Comme tout le
monde Et moi Tu veux dire Et lui sans me regarder
Oh bon Dieu tu ne peux pas simplement tirer ton coup

sans en faire toute une histoire est-ce que tu n'as rien
à foutre d'autre Pâte à berlingots que l'on peut voir
dans les foires travaillée en plein vent pétrie rose à
reflets de nacre argentée les bras musculeux l'écrasant la
rassemblant la jetant en collier sur un crochet s'étirant
peu à peu sous son poids pendant que les bras velus
s'emparent d'une autre boule celle-là vert pâle puis
l'abandonnent reprennent la première la relançant autour
du crochet l'étirant de nouveau la torsadant et pour finir
le bruit sec des ciseaux coupant le ruban sucré sur le
marbre l'odeur chaude un peu écœurante se mélangeant
aux relents de friture d'huile chaude de musique siru-
peuse et de cette
    aigrettes sur les têtes des oiseaux alors pas hérons
comment s'appellent huppes flamants non pas flamants
les bouts pâles enflés de ses seins à peine moins pâles
que la peau forçant cette écorce de soie pas ibis non
plus cous sinueux chrysanthèmes fleurs comme dépeignées
en désordre
    odeur d'acétylène foire qui se tenait tous les ans aux
environs de la Toussaint alors que les hauts platanes de
la promenade où elle était installée finissaient de perdre
leurs feuilles que le vent balayait chassait avec un bruit
rêche entre les baraques soufflant par bourrasques avec de
soudaines accalmies des temps morts insolites puis se
déchaînant en brusques rafales sauvages furieuses les
feuilles brunes cartonneuses en forme d'étoile s'enfuyant
en troupeaux sautant d'une pointe sur l'autre d'une façon
saccadée puis s'affaissant les tentes des baraques secouées

se gonflant retombant puis se gonflant de nouveau avec
des claquements secs les hautes cimes des platanes oscillant avec lenteur dans le ciel qu'envahissait le crépuscule
de novembre chaque jour un peu plus tôt un peu plus
obscur comme si quelque chose se refermait se resserrait
peu à peu inexorablement une étreinte les ténèbres où
sous le puant et froid éblouissement des lampes à car-
bure chatoyaient ces clinquantes camelotes entassées sur
les rayons des loteries les lanternes à glands les vases
décorés de vols d'oiseaux les stores ornés de paysages à
volcans et à bambous peints sur de fines lattes assemblées
ondulant cliquetant avec un léger bruit d'osselets dans
les courants d'air qui faisaient vaciller les lumières et
ces bouddhas de porcelaine aux robes vert jade à la grasse
peau blanche aux lèvres rouges figées dans un sourire de
pacotille au-dessus des replis étagés de leurs ventres
blancs

parfois au milieu de l'après-midi il m'arrivait de la
trouver sortant à peine du lit encore à demi nue tiède
traînant dans ce kimono dénoué grignotant n'importe
quoi quelque chose resté de la veille me rendant compte
à présent que cette violente attraction qu'elle exerçait
sur moi avait ce même goût cette sorte d'amer parfum
de défendu de chatoyant de clinquant et de pauvre que
je respirais enfant confondu avec l'écœurante odeur d'acé-
tylène qui flotte en permanence dans les foires et qui pour
moi avait fini par s'identifier à la notion même de culpa-
bilité de désastre

m'attardant bien au-delà de l'heure autorisée c'est-

50

à-dire celle qui m'aurait permis de raconter un mensonge crédible me sentant peu à peu envahi par cette irrémédiable angoisse faite à la fois de remords et de défi sachant qu'il était déjà horriblement tard que j'aurais dû être rentré depuis longtemps que maman s'inquiétait et que chaque minute augmentait encore l'ampleur de la catastrophe non pas une punition mais imaginant pouvant voir à l'avance son visage empâté gras empreint de cette expression douloureuse que l'on peut voir à ces saintes des peintures baroques avec leur double menton leurs mains tordues dans le bouillonnement des draperies leurs yeux pleins de larmes théâtralement levés vers le ciel et le dîner retardé et moi assis dans ma chambre devant ma table alignant une suite incohérente de mots cherchés dans le dictionnaire jusqu'au moment où mon cahier de brouillon à la main j'irais frapper à la porte de son bureau

regard me dévisageant derrière les lunettes d'un air las vaincu d'avance Je m'asseyais posais le livre ouvert sur les papiers Je t'écoute Je me raclais la gorge

dextrum cornu ejus rivus quidam impeditis ripis muniebat Je m'arrêtais

alors ?

rivus : une rivière

impeditis ripis : aux bords obstacles

des bords obstacles qu'est-ce que ça veut dire explique-moi

je me taisais

tu pourrais peut-être te donner la peine de chercher

51

plus loin que le premier mot que tu trouves dans le dictionnaire combien de temps as-tu passé à préparer cette version ?

je me taisais

bon très bien impeditis ripis : aux rives escarpées ça ne te semble pas mieux ?

si

il attendit un moment me regardant je ne levais pas les yeux de ma page de brouillon A la fin il dit Très bien continue

muniebat : abritait

il se mit à rire Abritait tu as déjà vu quelqu'un s'abriter dans un ruisseau est-ce qu'il s'agit de Jules César ou de Gribouille

je tenais ma tête toujours baissée

il rejeta la fumée de sa cigarette en soufflant entre ses lèvres rapprochées Allons courage

dextrum cornu : la corne droite

la corne ?

j'attendais

de nouveau il fit entendre le même bruit en rejetant sa fumée Et après ?

ejus : de lui

alors ?

je me taisais

et quidam ?

quidam ?

où est-il passé ?

je me taisais

bon si ton professeur te demande le mot à mot tu te débrouilleras tu lui expliqueras que le quidam est tombé dans la rivière aux bords obstacles c'était sans doute un jockey qu'en penses-tu ?

je regardais toujours ma page de brouillon

allons finissons-en sans ça c'est à neuf heures que nous allons dîner tu pourrais quelquefois penser au chagrin que tu fais à ta mère écris Une rivière aux rives escarpées protégeait son aile droite

Est-ce que tu vois quelque chose qui ressemble à une rivière ?

sauf là où s'étendaient les champs de coton la plaine était d'une couleur foncée brun tirant sur le violet quelques arbres maigres poussiéreux poussaient de loin en loin A un endroit ils se groupaient en touffe plus loin encore on pouvait voir les maisons d'un village blanc terne

je ne vois rien Peut-être là où il y a ces arbres S'il y a des arbres c'est sans doute qu'il y a de l'eau

de près la colline en dos de baleine apparaissait d'une couleur rouille-ocre piquetée de cailloux gris. Au fond de la plaine on voyait çà et là d'autres villages du même blanc terne et une ligne de collines pelées. Nous entendîmes des éclats de voix. Leurs silhouettes couraient et se poursuivaient. Le terrain était caillouteux roux sans herbe. Le gardien de but dont le camp n'était pas menacé se tenait appuyé contre un des poteaux. Il y avait un petit groupe ou plutôt une ligne de spectateurs debout ou assis sur leurs talons à l'ombre d'un long mur peint

à la chaux et sur lequel on pouvait lire une réclame
MAKAPONIA ΜΙΣΚΟ en larges caractères plus grands
que les spectateurs et mi-partie bleu et rouge soulignés
d'ombres ocre en trompe-l'œil comme s'ils s'avançaient
en relief. De nouveau des cris s'élevèrent. Quelques-uns
des spectateurs se levèrent aussi. Le gardien de but se
détacha comme à regret de son poteau et se mit au milieu
de l'entrée de sa cage, les deux jambes écartées, le buste
penché en avant, les mains en avant, les deux bras écartés
eux aussi

je te signale que nous sommes quand même sur une
route Si tu continues comme ça tu vas nous flanquer
dans le fossé

je redressai de justesse la voiture fit une embardée
nous secoua dans deux gros trous puis revint en ligne.
Heureusement je n'allais pas beaucoup plus vite que tout
à l'heure dans le chemin entre les champs de coton

tu as raison

sans cesser de les regarder je me rangeai sur le côté
et serrai le frein mais laissai le moteur tourner

tous courant maintenant dans la même direction légèrement inclinés en avant leurs jambes se mouvant avec
rapidité leurs maillots dépareillés mêlés rose délavé vert
un blanc un rayé bleu et rouge comme une sorte de bête
multicolore de mille-pattes se déplaçant horizontalement
puis tout repartit en sens inverse les clameurs redou-
blant les taches des maillots s'entrecroisant maintenant
c'est-à-dire les unes continuant sur leur lancée vers la
droite tandis que d'autres couraient déjà vers la gauche

54

passant à travers les unes des autres par exemple une tache rose disparaissant derrière un maillot vert puis reparaissant le maillot vert masqué à son tour une fraction de seconde par un autre maillot rose et ainsi de suite dans une mêlée confuse puis le son enroué d'un sifflet troua l'air deux joueurs étaient à terre à peu près au milieu du terrain la maigre clameur vacilla retomba cessa. Comme si elle s'affalait sous son propre poids sa propre inutilité renonçait. Ou plutôt comme si l'air incandescent le ciel blanc les collines de pierres chauffées à blanc le vaste paysage nu désolé absorbait tout décourageait tout. Les deux joueurs tombés à terre se relevèrent et s'éloignèrent au petit trot chacun dans la direction de son camp en époussetant leur culotte et leurs genoux. L'un d'eux s'arrêta se pencha en avant porta sa main à sa bouche puis à l'une de ses jambes puis se releva et repartit. Il boitait légèrement. Ceux des spectateurs qui s'étaient levés se rassirent comme des singes, prenant appui de leur dos contre le mur se laissant glisser les deux bras tendus horizontalement en avant pour s'équilibrer puis une fois assis croisés sur leurs genoux ou comme des étais de part et d'autre du buste les mains à plat par terre. Trois ou quatre étaient tranquillement étendus de tout leur long la tête appuyée sur la main d'un bras replié. Je desserrai le frein et repartis.

Nous passâmes près d'une carrière. Un gros camion nous doubla chargé de quartiers de roche ses roues sautant dans les trous soulevant un nuage de poussière blanche qui nous enveloppa cachant tout je ralentis encore

55

jusqu'à ce qu'il fût possible d'y voir de nouveau Sur la gauche au flanc de la colline un paysan travaillait dans un étroit champ rectangulaire de terre rouge entre la pierraille Le camion était déjà loin filant bon train la poussière jaillissant de sous ses roues arrière comme la fumée d'une locomotive De nouveau une voiture corna derrière nous nous dépassa une camionnette bleue lancée elle aussi à fond de train sans se soucier de ses amortisseurs bondissant d'un trou à l'autre s'éloignant à son tour rapidement dans la poussière blanche moins épaisse toutefois que celle soulevée par le camion On pouvait lire sur l'arrière

ΚΑΛΛΥΝΤΙΚΑ

ΚΑΙ ΕΙΔΗ ΠΡΟΙΚΟΣ

ΔΩΡΑ ΓΑΜΟΥ

il se mit à rire Devine ce que ça veut dire

la poussière blanche emplissait mes narines mes yeux un moment je me retins de respirer

quelque chose comme PRODUITS DE BEAUTÉ ET ARTICLES OU CADEAUX POUR DOTS MARIAGES !

bataille de comment déjà mot qui veut dire les Têtes de Chien bataille de Pharsale bataille contre les Turcs quel nom avant après Jésus-Christ pendant comment savoir le sort du monde pilum frappant entrant sortant dans

la petite camionnette bleue atteignait le haut de la côte au creux du petit col entre Krindir et les collines plus hautes traînant derrière elle son panache de pous-

sière comme un voile de mariée Puis elle a disparu et il
n'est resté qu'un nuage blanc retombant peu à peu

pilon rouge entrant et sortant immobilisé soudain dans
la posture encore à demi enfoncé peut-être n'osant plus
respirer chiens collés la sueur refroidissant sur leurs
corps nus *des oreilles ennemies vous écoutent* mariée
troussée relevant sa longue jupe blanche découvrant ses
fesses callipyge chair d'un blanc bleuté aux ombres vert
d'eau sa bite rouge congestionnée de rouquin enfoncée en
Dans le silence du couloir cela fit un bruit formidable
incongru quelque part une porte s'ouvrit une voix dit
qu'est-ce qui se passe là-bas ? Je cessai de cogner je
pouvais sentir la douleur comme un coin enfoncé comme si un morceau de la porte était resté collé adhérait
incrusté dans la chair sur le côté du poing qui avait
frappé quelque chose de cassé peut-être petits os métacarpe squelette de poisson ou plutôt de ces nageoires de
mammifères marins Une tête apparut à l'angle du couloir là où il faisait un T avec l'autre Cheveux gris mal
peignés visage usé de vieillard incliné juste la tête et une
épaule risquant un regard puis le corps Un pantalon en
accordéon lui tombait sur les talons il était chaussé de
pantoufles Il répéta qu'est-ce qui se passe qu'est-ce que
c'est que ces façons ? Je le regardai puis je me remis à
contempler la porte je pouvais toujours sentir la douleur chair écrasée contre les os m'élançant Il dit Vous
cherchez quelqu'un ? je ne répondis pas il fit encore un
pas traînant ses savates Maintenant il cachait le poste
d'eau je pouvais entendre la goutte Il dit quelque chose

comme appeler la police je le regardai puis tout en continuant à le regarder la tête tournée vers lui je me ruai
de nouveau contre la porte frappant frappant frappant
la douleur s'irradiant me remontant jusqu'à l'épaule
comme une décharge électrique métacarpe je continuais
à le regarder donnai encore un coup de pied dans la porte
ses yeux s'agrandirent comme effrayé et furieux en même
temps Il disparut

Oreille qui peut voir

Le pinceau se déplaçant horizontalement sans hâte
chargé d'un rouge vif assez clair relativement liquide de
sorte qu'au fur et à mesure de son avance la couleur
dégouline en petites bavures le trait épais et sanglant
qu'il laisse derrière lui s'allongeant s'étirant présentant
dans sa rigidité de légères gonfles de légères bosselures
selon que la main qui conduit le pinceau soumise aux
imperceptibles tremblements aux imperceptibles palpitations du sang qui l'irrigue et des muscles qui la sou-
tiennent se rapproche ou s'éloigne de la toile allégeant
tour à tour les soies ou au contraire les couchant les
écrasant un peu ce qui fait qu'alors non seulement le
trait s'épaissit mais que de plus la peinture compressée
déborde et glisse sur la surface verticale jusqu'à ce qu'arrivé en bout de course et presque à la fin de sa réserve
de pâte le pinceau s'écrase encore un peu plus cessant
alors d'avancer sa progression horizontale faisant place
à un mouvement de rotation les soies tournant sur elles-
mêmes agrandissant un point dessinant une sorte de boule
de bourgeon enflammé rouge vif la couleur fraîche lui-

sante comme de l'émail barre rigide gonflée en relief comme ces cicatrices rosâtres en bourrelets la boule qui la termine dirigée vers une tache blanche imprécise à peu près délimitée par deux U accolés ou plutôt la lettre grecque ω d'une matière nacrée ou émail aussi Je souffrais comme...

J'arrêtai la voiture serrai le frein et coupai le contact On doit tout de même y être à peu près voyons cet idiot de guide La route redescendait vers la droite puis dessinait un grand arc de cercle contournant la plaine en longeant le pied des collines Tout au bout je vis la camionnette produits de beauté et fournitures pour dots ou plutôt la traînée de poussière dont une extrémité s'allongeait progressait à partir d'un point minuscule Sur notre gauche la colline caillouteuse bouchait la vue Nous commençâmes à la gravir en sautant d'une dalle à l'autre Entre les pierres poussaient des herbes jaunâtres sèches et des piquants De très loin portés par le vent arrivaient de temps en temps les sons du sifflet enroué et les échos des clameurs Comme si elles parvenaient longtemps après à travers des épaisseurs de silence de temps D'ici c'étaient juste des points de couleur pas plus gros que des petits pois rose fané vert l'unique maillot blanc se détachant un point aussi se déplaçant parmi les autres s'immobilisant repartant en sens inverse je me demandais comment

s'élancèrent comme on le leur avait commandé tous ensemble et toute la multitude des archers se répandit notre cavalerie n'en soutint pas le choc

Mêmes clameurs sans doute absorbées se diluant déri-

soires aussi quoique par milliers sous l'étouffant ciel
blanc et cette mêlée ce tumulte cette confusion les hennis-
sements les galops A l'endroit où portait la selle les poils
trempés de la sueur dessinaient une tache marron sombre
Dans l'effort que je fis je collai presque ma tête contre
son flanc Sur l'encolure les poils secs étaient d'une couleur cuivrée rougeâtre de tout près ainsi ils avaient des
reflets dorés irisés mauve ou rose le tumulte le bruit
m'emplissant les oreilles sans doute tiraient-ils aussi avec
de petits canons les rênes passées dans mon bras je parvins à lui remettre la selle sur le dos je relevai le quartier
le maintins ainsi la joue contre l'odeur aigre acide le
fourreau du sabre me gênait la garde cogna contre mon
casque mais aucune boucle n'avait lâché simplement elle
était trop longue ça pouvait encore aller au départ quand
il se gonflait comme le font tous les chevaux ensuite
quand on avait marché un moment je pouvais la rac-
courcir d'un trou mais c'était tout et cette fois en mettant
le pied à l'étrier tout avait tourné bien ma veine comme
ça en pleine bagarre dans la pagaille les cris ordres sans
doute que je n'arrivais pas à entendre ou criant simplement pour crier parce que Puis je le vis cabré au-dessus de
moi distinctement sa tête avec l'œil blanc fou tout en haut
dans le ciel les rênes flottantes dessinant un S un instant
les deux jambes de devant les sabots les fers battant l'air
pensant stupidement comme ils étaient polis d'un gris
métallique étincelant j'aurais pu compter les clous chacun des quatre trous pour les crampons choses qui s'im-
mobilisent tout à coup et dont on garde l'image précise :

ainsi avant que l'arbitre siffle celui au maillot rose renversé sur le dos dans la poussière les quatre fers en l'air
c'est-à-dire les bras à demi repliés levés au-dessus de la
tête et un peu en avant les jambes à demi repliées aussi
un peu écartées les tibias à l'horizontale et l'autre au-
dessus de lui en l'air figure volante à peu près dans la
même position c'est-à-dire les bras à demi repliés en avant
de lui mains vers le sol comme s'il essayait déjà d'amortir
sa chute les jambes peut-être moins ployées mais écartées
aussi comme un cheval ruant les pieds ayant déjà quitté
le sol le glaive étincelant qu'il tient dans une main pointé
vers la gorge de celui qui est renversé au-dessous de lui
mais moins par adresse que probablement par un effet
du hasard son arme mal assurée déséquilibré tombant
sans fin le soleil étincelant sur le casque de bronze une
touche de pâte épaisse d'un blanc citron incurvée suivant
la courbure du métal l'effet de poli de brillant obtenu
par le voisinage d'un noir profond ceci pour la partie du
casque touchée par le soleil l'autre c'est-à-dire celle dans
l'ombre d'un jaune assez sombre relevé le long de la
courbe de la face postérieure qui descend vers la nuque
par une ligne orangée en dégradé épousant le contour le
même effet (lumière empâtée blanc citron noir jaune
sombre et reflet orangé) jouant sur les plaques au flanc
de la cuirasse certains le corps entièrement nu seulement
protégés par un bouclier et des jambières de métal le
baudrier de leur glaive en sautoir autour de leur buste
le fourreau pendant et au centre de leur corps comme
sur cette photographie jaunie pâlie ce fragile organe pen-

dant vulnérable entouré d'un buisson une tache sombre
aux contours indécis d'un jaune gris aussi à peine plus
foncé blême fantôme gesticulant emphatique ivre chancelant sous le poids du sabre brandi

cortège une fois comme ça une soirée de juin traversant avec superbe entre les voitures sur le boulevard
burlesque sans doute avant un de ces bals de carabins
ou d'architectes entrant dans les cafés s'emparant des
verres sur les guéridons et les vidant épater le bourgeois
braillant à tue-tête des chansons de salle de garde dont
ils reprenaient en chœur les refrains hurlant merde bite
trou du cul d'un air pénétré convaincu l'un d'eux passé
tout entier au fond de teint noir comme un nègre un
autre gigantesque barbu roulant des yeux terribles soulevant son péplum par-devant avec quelque chose
d'énorme pointé comme un manche à balai sous le nez
des femmes poussant des cris riant effarouchées Ils firent
cercle l'un d'eux s'agenouilla au milieu de la chaussée
mouillée les autos cornaient l'une d'elles voulut essayer
de passer quand même ils l'entourèrent poussant des
huées menaçant le barbu l'avait sorti de sous ses jupes
c'était plus grand qu'un machin de cheval en carton ou
je ne sais quoi avec au bout une sorte de fraise de la
taille d'une pomme barbouillée de rouge vif comme le
nez d'un clown le reste le manche blanc s'en servant
comme d'un sceptre ou d'une épée frappant l'agenouillé
sur une épaule puis sur l'autre bouffonnant avec gravité
in nomine patri et filii parmi les klaxons impatients on
pouvait entendre sa voix d'acteur de basse te sacre che-

valier taste con ou perce con quelque chose de cette eau-
là Arrêtés sur les trottoirs les gens regardaient silencieux
inexpressifs se découpant en silhouettes sombres devant
les terrasses illuminées des cafés la pluie tiède se remit à
tomber le nouveau chevalier se remit debout ses genoux
étaient tachés de marron il avait de maigres jambes poi-
lues ils s'éloignèrent gesticulant injuriant les chauffeurs
braillant les derniers couraient pour rattraper les autres
s'appelant Lulu ou Lili ou Dédé les filles retroussaient
leurs traînes à la grecque souillées de boue brunâtre par
défi ou inconsciemment une montra même ses fesses le
flot des autos reprit ça faisait pitoyable forcé ça sentait
le salami la soupe au poireau les cabinets bouchés comme
dans ces escaliers aux murs peints en marron ou en gris
fer souillés et éraflés avec des messages punaisés ou grif-
fonnés au fusain sur les portes je suis descendu boire un
pot ou je t'attends chez Mimile ou reviendrai à

   Me demandant cherchant à l'imager lui avec sa cravate son gilet sagement boutonné son air d'étudiant appli-
qué devant cette porte épiant écoutant le silence de l'autre
côté du mince panneau de bois en proie à ce désespoir
absolu définitif devant lequel ou plutôt à l'intérieur
duquel il se trouvait comme une bête piégée affolée se
ruant comme un aveugle contre la trappe le leurre frappant et cognant et non plus alors la porte elle-même mais
ce quelque chose d'invisible d'innommable d'impossible
à atteindre à combattre sans forme l'intolérable en soi
et de même qu'il avait maintenant oublié renié jeté par-
dessus bord tout ce que son éducation son hérédité lui

avaient appris amour-propre respect de soi parvenu ou
plus exactement précipité dans un au-delà où toute
décence tout contrôle étaient de simples mots privés de
sens comme dans l'excitation d'un combat le corps peut
devenir insensible aux blessures à la fatigue le sien tout
à coup doué d'une force qu'il ne soupçonnait pas comme
si à la place du timide personnage au regard étonné doux
qui figurait comme par accident sur les photographies
au milieu des peintres à têtes d'anarchistes et des femmes-
garçonnes c'était à présent une de ces créatures un de
ces géants condamnés à d'impossibles travaux luttant arc-
bouté nu musculeux et sans espoir non pas contre quelque
monstre ou hydre ou chimère aux griffes de lion ou
même quelque rocher un obstacle sur quoi il aurait
au moins pu avoir une prise diriger ses forces mais contre
quelque chose d'aussi insaisissable qu'un brouillard l'obscurité le vide

Journal peut-être pour se dissimuler ou justifier déployé le bord supérieur des feuilles dessinant un angle
obtus largement ouvert au ras duquel il peut voir la
fenêtre et juste sur le côté de la page de droite le porche
de l'immeuble LES COUPS ONT NORMALEMENT
REPRIS A LA FACULTÉ DE NANTERRE la fille en
rouge bottée de noir reparaissant dans l'encadrement de
la porte par où le garçon mécontent est rentré l'instant
d'avant s'immobilisant portant à sa bouche une cigarette
tenant encore dans une main la boîte d'allumettes et le
paquet de cigarettes qu'elle vient d'acheter elle regarde
un peu en avant d'elle et sur sa gauche le groupe formé

par le garçon effrondé sur son guéridon et l'autre maternel indécourageable qui se tient assis à côté de travers sur sa chaise un bras toujours passé sur les épaules de son ami COUPS Elle rejette une bouffée de fumée puis fait glisser le sac dont la courroie reposait au creux de son coude l'ouvre et entreprend d'y ranger allumettes et ciga-rettes L'un de ceux qui se trouvent de l'autre côté du passage l'interpelle elle le regarde puis baisse la tête s'intéressant de nouveau au contenu de son sac COURS et non pas COUPS lapsus tourner une page pour avoir l'air de COURSES AUJOURD'HUI À AUTEUIL 13 h 30 SPECTACLES bande dessinée l'ombre des immeubles d'un côté de la rue atteignant maintenant le deuxième étage de ceux qui leur font face la fenêtre vide reflétant toujours le ciel vide et lui continuant à voir ce couloir gris la porte grise quoiqu'il soit maintenant immo-bile décent parmi les passants le brouhaha en train d'écouter d'épier

la première image représentant un type appuyé contre un mur à côté d'un appareil automatique le combiné contre son oreille le visage tendu soucieux incrédule une main soutenant le coude du bras qui tient l'écouteur un peignoir jeté sur ses épaules laissant voir ses muscles velus le corps coupé aux genoux par le bord inférieur du carré dont il remplit à peu près entièrement la moitié droite tandis que dans la partie gauche derrière lui on peut voir trois rangées de ces fauteuils métalliques à sièges basculants comme il y en a dans les cinémas bon marché ou les réunions sportives et occupés par quelques

spectateurs coiffés de casquettes ou de chapeaux mous tournant le dos en train de regarder sur un ring de boxe un spectacle invisible caché par un nuage blanc aux contours dentelés et à l'intérieur duquel on peut lire les mots SAVEZ-VOUS QU'IL S'EST ÉCHAPPÉ CHÉRI JE CRAINS QU'IL NE VOUS CHERCHE l'une des extré-mités du nuage allant s'amincissant les contours dentelés se rapprochant formant à la fin une sorte d'éclair dont la pointe vient toucher l'écouteur du téléphone comme si la voix qui en sort n'était pas produite par un organe humain mais plutôt celui d'une de ces divinités disposant à son gré de forces terrifiantes comme l'électricité ou la foudre ou encore comme si l'électricité était elle-même cette divinité les paroles éclatant avec un bruit de ton-nerre assourdissantes continuant à rouler et se répercuter entre les murs sonores du gymnase parmi les odeurs camphrées d'embrocation et de même que le nuage den-telé cache ce qui se passe sur le ring repoussant dans un arrière-fond muet les échos mats des coups le ahanement des souffles le crissement de la résine sous la semelle des
le silence
Parfois un souffle chaud agitait les herbes roussies froissait avec un bruit rêche les feuilles d'épineux quel-ques buissons d'un vert foncé noirâtre rabrougris non pas ondulant mais pour ainsi dire se tassant un peu et reprenant aussitôt leur forme comme un ressort dur sans souplesse puis tout redevenait immobile mort A l'arrière-fond très loin on pouvait entendre le sifflet de l'arbitre les faibles clameurs comme des cris d'enfants

le bourdonnement des autos la rumeur de la rue à de longs intervalles la goutte d'eau se détachait de la bouche du robinet allait s'écraser sur la grille avec un bruit comme dans ces grottes...

de temps à autre de petits oiseaux gris surgissaient d'entre les pierres filaient en vols brefs tirant un trait rectiligne comme une pierre en même temps que s'élevait s'étirait leur cri rectiligne lui aussi grinçant imitant un bruit de poulie mal graissée tournant très vite puis disparaissaient Encore une fois parvinrent les clameurs discordantes ténues *avec l'idée qu'ainsi l'on effrayait l'ennemi et que l'on excitait les siens* et l'arbitre siffla *non pas la mort qui est le châtiment réservé à tous mais après ton destin fatal le sentiment de ta mort il reçut dans la bouche un si violent coup de* Du haut de la colline on pouvait maintenant voir toute l'étendue du champ de bataille

ou du moins sentiment de ta mort La seconde image presque tout entière remplie par le buste et le visage de la femme nonchalamment étendue accoudée parmi les coussins, une de ses mains jouant distraitement avec une fleur l'autre main tenant le combiné du téléphone contre son oreille JE VOUS DIS TOUT ÇA PARCE QUE JE VEUX QUE VOUS SACHIEZ QUE JE PENSE A VOUS TOUT LE TEMPS CHÉRI, les paroles semblant flotter dans l'air à l'intérieur d'un nuage parfumé remplissant tout le haut de l'image, laissant juste voir par-delà la main qui tient le combiné de petits objets de porcelaine décorés de fleurettes (tasse, sucrier ? ou encore de ces choses — bonbonnières, pots à fards — qu'utilisent les femmes) posés sur un guéridon à côté du divan, le regard noir à la fois vigilant et distrait fixé sur rien, peut-être sur le détail d'un meuble ou de la tapisserie située hors du dessin et du côté du spectateur, c'est-à-dire parcourant et reparcourant machinalement la même forme (le contour d'un motif décoratif, d'un feuillage, le bord d'un vase) sans la voir vraiment, regardant en réalité un spectacle intérieur, peut-être la forme la couleur des mots qu'elle vient de dire comme s'ils lui apparaissaient non pas imprimés et enfermés dans des bulles mais surgissant du néant l'un après l'autre avec leurs sinuosités leurs barres leurs verticales leurs méandres leurs ondulations leurs coupures abruptes se complétant se reliant grossissant puis s'immobilisant restant là suspendus dans l'air lui aussi immobile continuant à vibrer silencieusement redoutables énigmatiques chargés de sens multiples jusqu'à ce que la phrase la réplique suivante les repousse s'installe à leur place (à la manière de ces images des lanternes magiques glissant de droite à gauche puis de gauche à droite, l'une chassant l'autre, chacune immobile un moment pendant que l'opérateur cherche à tâtons dans l'obscurité la plaque suivante, l'installe, et la fait brusquement coulisser) : elle donc avec son corsage noir ses cheveux noirs ses yeux noirs ce téléphone noir son masque fardé semblable à une fleur pâle vénéneuse parmi les coussins les porcelaines les fleurs, et lui sursautant, si bien que son visage occupe presque toute la hauteur du carré suivant, incliné en avant maintenant, la main velue qui tient le combiné au premier plan, l'appareil mural avec son cadran remplissant lui aussi toute la hauteur du côté opposé, tout à fait sur la gauche (alors que sur la première image il se trouvait à droite), comme si le dessinateur affairé à le croquer avait dû vivement bondir lui aussi et le contourner pour pouvoir le représenter dans cette nouvelle position, le spectateur parcourant aussi le même trajet dans l'espace, l'hercule non plus appuyé de l'épaule contre le mur où est accroché le cadran de l'automatique mais, à présent, face à lui, face à l'invisible interlocutrice dans la direction de laquelle il crie VOUS N'AVEZ PAS POUSSÉ LARRY A ÇA... ?, la réponse qui lui parvient par le combiné dans un cartouche au contour de nouveau déchiqueté en dents de scie et relié à l'écouteur par un éclair-zigzaguant CHÉRI COMMENT POUVEZ-VOUS AVOIR UNE PENSÉE AUSSI HORRIBLE ? inscrite dans le bas du dessin comme si elle était entraînée par son poids, son accablante et perfide douceur, cependant qu'à la place où se tenait l'instant d'avant le dessinateur on peut voir l'autre partie du gymnase où un boxeur en maillot de corps est en train de sauter à la corde en même temps que pénètre un jeune homme porteur d'un petit sac et que s'éloigne, mains dans les poches, un personnage en blouson

les trois images côte à côte dans leur ordre de lecture (c'est-à-dire, de gauche à droite : premièrement Hercule nonchalamment appuyé au mur à côté de l'automatique, deuxièmement voluptueuse interlocutrice à la fleur, troisièmement masque crispé en gros plan) composant, peut-être à l'insu du dessinateur, une sorte de triptyque où l'on passerait de la première image à la troisième par une rotation (un rabattement) d'un demi-cercle, le centre étant exactement occupé par la bouche sanglante de la femme dont la vision est immédiatement encadrée à droite et à gauche par l'appareil mural dont la place du premier au troisième dessin s'est trouvée inversée, comme si l'image intermédiaire (l'Eve perfide) se trouvait en somme à l'intérieur de l'appareil, comme si la voix n'était pas celle d'un être de chair mais celle-là même de la boîte métallique accrochée au mur, avec son mystérieux cadran circulaire, ses lettres, ses chiffres, ses déclics secrets, ses relais, son système de minuscules bobines, ses réseaux de connexions, ses écheveaux de fils aux vives couleurs, ses circuits, son délicat et subtil mécanisme au fonctionnement inflexible qui élaborerait avec l'infaillible précision des courants induits et des variations de fréquences les mensonges et les pièges formulés d'une voix douce parvenant à l'hercule par ce fil, noir lui aussi, sorte de cordon non pas ombilical mais auditif tout aussi indispensable et dont il lui serait impossible de se détacher comme un chien tenu par une laisse qui ne lui permettrait qu'une liberté de mouvements ironiquement réduite à quelques réflexes contraints, quelques dérisoires sursauts, crispé, l'oreille désespérément tendue, cherchant désespérément à percevoir au-delà du grésillement électrique, du tumulte de son sang dans ses oreilles, quelque indice humain, un halètement, le frois-

70

sement soyeux des coussins ou le tintement des bracelets
    aimais ce bruit pacotille comme on en trouve dans la
sciure des étalages en plein vent plusieurs cercles minces
imitant des torsades et réunis par une sorte de barrette
de sorte qu'ils jouaient librement s'écartant en éventail
ou se rapprochant faisant entendre un léger froissement
métallique quand nous une fois je m'étais un peu écorché
un peu de sang perlant sur
    Puis j'ai tout de même réussi à m'en arracher réussis-
sant même à ne pas regarder en arrière lorsque je tournai
le coin du T marchant vite sourd le sang battant dans
mes oreilles se ruant venant frapper aussi feu sur le
côté de mon poing quelque chose de cassé probablement
petits os Sur le palier le type aux bretelles pendantes sur
son pantalon en accordéon parlait avec une femme entre
deux âges aux cheveux teints chaussée de mules à pom-
pons vêtue d'un peignoir aux couleurs vives rouge abricot mauve je pus voir une varice épaisse d'un bleu vert
se tordant en relief sur une de ses jambes Ils se turent
tous deux quand ils me virent me regardant m'approcher
puis passer devant eux la femme reculant s'aplatissant
contre le mur leurs têtes pivotant me suivant de leurs
yeux indignés réprobateurs un peu effrayés la femme
pinçant ses lèvres ridées barbouillées d'un rouge géranium qui débordait au-dessus de sa lèvre supérieure en
deux petites pointes comme les sommets d'un M aplati
Parvenu entre les deux paliers je relevai la tête Temps
de les voir les deux bustes penchés au-dessus de la rampe
me regardant puis disparaissant comme aspirés soudain

happés basculant en arrière comme ces personnages des jeux de massacre montés sur un axe horizontal

J'avais oublié la lumière Le soleil le bruit de la rue me frappèrent au visage Une bande bruyante de jeunes gens était assise à la terrasse du café vautrés sur les chaises chahutant s'interpellant d'une table à l'autre il y avait deux filles avec eux une vêtue de rouge J'achetai un journal traversai la place et l'ouvris à n'importe quelle page SPECTACLES A MOURIR DE RIRE LES DEUX GRANDS COMIQUES DE L'ÉCRAN RÉUNIS POUR LA PREMIÈRE FOIS DANS UN FILM D'UNE DROLERIE On finissait de ramasser les détritus laissés par le marché Sur l'asphalte fraîche-ment arrosée trois pigeons piétaient cherchant je suppose quelque chose à manger dans ce que les balayeurs avaient oublié marchant sur leurs reflets leur image inversée se détachant en sombre sur le reflet doré brouillé de la façade ensoleillée Quand ils picoraient les deux têtes celle du pigeon et celle de son reflet allaient à la rencontre l'une de l'autre les becs se touchant Un des vantaux de la fenêtre était légèrement entrouvert Dans les vitres le ciel reflété était d'un bleu-noir plus foncé que le ciel au-dessus du toit Les deux comiques ren-versaient la tête en arrière symétriquement aussi par rapport à l'axe du placard-annonce riant aux éclats la bouche grande ouverte *un si violent coup de glaive que la pointe en ressortit par la nuque* Je croyais me rappeler une ➠

le cheval couché sur le flanc moi-même à quatre pattes maintenant par terre en train d'essayer de savoir où étaient le haut et le bas ou même s'il y avait un haut et un bas et si j'avais encore des bras et des jambes c'est-à-dire si je pouvais encore me servir de mes bras et de mes jambes *je ne souffrais pas* constatant seulement qu'ils me soutenaient plutôt à vrai dire à la façon d'une bête que d'un homme puisqu'il me fallait quatre points d'appui et qu'apparemment c'était tout ce que je pouvais en exiger ou plutôt en attendre du moins pour le moment comme s'ils avaient été en bois ou plutôt en pierre impossibles à mouvoir comme sur ces planètes où paraît-il on pèserait dix fois vingt fois son propre poids alors sur quelle planète et en tout cas ma tête apparemment entière quoiqu'il me semblât me rappeler qu'un peu plus tôt elle avait éclaté en mille morceaux donc entière de nouveau à présent puisqu'elle pouvait en tout cas me servir à prendre conscience de ce poids je ne souffrais pas je pouvais le voir à quelques mètres de moi étendu sur le flanc sans blessure apparente du moins pas une blessure qui aurait laissé couler sous lui une mare de sang mais certainement gravement atteint puisqu'il ne se relevait pas n'essayait même pas comme je l'avais vu faire à un cheval éventré dans une course de taureaux restant simplement là seulement agité parfois de secousses gris sur le sol brun parsemé de débris plus ou moins identifiables des casques des boucliers des lances brisées des pièces de harnachements ou d'armures éparpillées çà et là comme des prothèses orthopédiques bandages herniaires jambes articulées des journaux aussi des bidons des bouteilles des valises crevées des livres ces détritus que la guerre que toute bataille semble engendrer de façon spontanée comme on croyait autrefois que les draps sales engendraient les puces à partir de rien d'une troupe en marche qui apparemment ne portait ni valises ni robes de femmes ni raquettes de tennis ni bibliothèques ni boas de plumes ni phonographes

fragments d'armures de forme concave creux comme des morceaux de carapaces de crustacés et qui semblent garder l'empreinte du corps ou du membre qu'ils ont contenu le recréant pour ainsi dire par le vide ou dans le vide qu'ils définissent

les cassures des lances rompues jaunes ou rouges hérissées d'échardes de pointes en ligne brisée comme des tessons de bouteille leurs morceaux dessinant sur le sol sombre un ensemble de figures géométriques trapèzes triangles

la tête du cheval reposant sur sa joue de sorte que d'où j'étais je la voyais par en dessous avec ce creux qu'ils ont entre leurs quoi (maxillaires ?) son œil marron luisant couvert comme d'une taie aux reflets bleuâtres me regardant en coin semblait-il avec fixité puis je compris qu'il ne me voyait pas une ou deux fois encore ses jambes s'agitèrent se détendant faiblement comme s'il essayait de ruer après quoi il resta définitivement immobile *je*

1 négresse à jupe orangée tricot vert sortant de la porte de l'hôtel à droite du café virevoltant jupe tournoyant sur les mollets maigres chocolat et disparaissant dans la boutique du marchand de vins

2 adolescents vêtus d'imperméables noirs l'un d'eux

la joue gauche presque entièrement recouverte de boutons un sac bleu de compagnie aérienne avec dessinée
en blanc une mappemonde ses méridiens les continents
porté en bandoulière parlant anglais

ne souffrais pas toujours à quatre pattes lourd comme
si la terre m'aspirait ma tête tirée vers le bas le sol
l'odeur d'humus de mousse je pesais mille kilos tonnes
de pierre de marbre de bronze je m'écrasai elle écarta
encore ses cuisses je sentis ses bras minces m'entourer
les reins m'agripper le bracelet s'enfonçant dans ma peau
oreille qui peut voir elle se souleva se hissa jusqu'à l'atteindre sa langue d'abord la léchant à petits coups comme
timide puis brusquement l'engloutissant toute entière la
tête renversée buvant je pouvais voir comme ces petits
animaux suspendus sous le ventre têtant mais pas sa
mère son père il aurait largement pu *je souffrais comme*

montagne son énorme dos courbé montagne de viande
courbée sur elle avec cette peau trop blanche blafarde et
cette tignasse rousse que je n'avais jamais pu dissocier
de la casquette de marinier hollandais me demandant si
une seule fois il m'était arrivé de le voir sans elle, comme
si elle était collée à sa tête, comme si elle faisait partie
intégrante de son personnage au même titre que la barbe
et les favoris et elle suspendue sous son ventre gracile
le buvant enfoncé *dans la bouche un coup de glaive si
violent que la pointe en ressortit par*

chancelant la bouche ouverte proférant d'incompréhensibles menaces le sabre qu'il faisait tournoyer au-dessus
de sa tête étincelant accrochant les reflets de la veilleuse

tandis qu'il allait et venait entre les deux rangées de lits dans l'allée centrale de la chambrée son grand corps blême de rouquin vaguement phosphorescent avec au centre cette tache fauve imprécise se détachant sur la peau laiteuse qui s'arrêtait brusquement aux épaules et aux poignets comme celle de ces terrassiers que l'on peut voir à demi enfouis dans les tranchées le buste nu et tatoué de dessins bleuâtres le visage d'une couleur rouge brique qui s'arrête brusquement au milieu du cou de sorte que pas besoin du fameux pointillé pour guider le bourreau comme si la tête barbouillée de sang avait été déjà coupée puis reposée sur le corps séparée des épaules par une ligne précise créatures vaguement fabuleuses appartenant à un monde lui aussi fabuleux capables d'exploits surhumains titanesques comme absorber quatre ou cinq litres de vin soulever une charrette porter un cheval sur leur dos

le soleil déclinant éclairant maintenant à contre-jour les joueurs la poussière sous leurs pieds s'élevant en nuage doré, zones opaques où la peinture — ou la mosaïque — s'est détachée de son support par larges plaques entre lesquelles ne subsistent plus que quelques fragments restés intacts :

plusieurs jambes de joueurs revêtues de bas disparates rouges jaunes ou vert ployés dans la position de la course les jambes s'entremêlant se masquant et se démasquant tour à tour. Mêlée confuse aussi de jambes de chevaux piétinant

un guerrier au corps nu les genoux à demi fléchis

oscillant d'avant en arrière soit qu'il essaye de parer ou d'esquiver les coups qui lui sont portés par un adversaire invisible (c'est-à-dire caché par un nuage de poussière ou dans une zone détruite de la fresque) soit qu'il vacille comme un homme ivre sous le poids du sabre avec lequel il fait de grands moulinets au-dessus de sa tête frappant manquant sans doute sa cible de sorte que l'élan la masse du sabre déplacé l'entraîne tantôt d'un côté tantôt de l'autre son pénis pendant au-dessous d'un buisson de poils roux

plusieurs arbalètes tenues parallèlement à bout de bras pointées dans la même direction à environ quarante-cinq degrés vers le ciel bandées leurs (bras ?) ramenés en arrière par la tension des cordes dessinant un arc de cercle ou plutôt un croissant comme les ailes d'un oiseau en vol fendant l'air

à leur tour les deux autres pigeons se sont envolés. Après une dernière et vaine tentative pour refermer le couvercle de la corbeille à papiers la bonne femme aux jambes enflées a renoncé et s'est éloignée sur le trottoir, croisant une femme osseuse, au long nez dans un visage plâtré et ridé entouré de frisettes, vêtue d'une robe de soie au fond vineux et beige et d'un tricot jaunâtre qui avançait sur le trottoir d'une démarche difficile, ses pieds chaussés d'escarpins noirs à barrettes les pointes en dedans. Deux hommes portant des serviettes de cuir à poignée, l'un en complet gris, l'autre en complet bleu, l'ont dépassée. Le gris disait au bleu : faites attention : si vous lui faites cette proposition d'une façon qu'il. A l'intérieur de la charcuterie une petite fille désignait du doigt pointé vers l'étalage ce qu'elle voulait. Ses yeux s'ouvraient tout grand puis se refermaient rapidement, comme par un tic nerveux. Deux types discutaient avec deux négresses près d'une Aronde rouge. Après les deux hommes d'affaires est passée une femme qui portait un tricot bordeaux déboutonné par-dessus une robe bleue. Elle tenait d'une main un paquet rose, de l'autre une baguette de pain. Elle avançait d'une démarche lourde d'obèse, comme un canard. Puis, dans l'autre sens, une Indochinoise en robe de soie marron, fendue sur le côté, les basques flottantes sur un pantalon de soie noire, poussant dans une petite voiture son enfant qui tenait sur ses genoux un ballon blanc à pois noirs. Les roues mal huilées de la voiture faisaient entendre un grincement régulier, aigu, qui a décru par degrés à mesure qu'elle s'éloignait. Ensuite un type avec une drôle de tête, comme un héron.

Dans l'Aronde rouge rangée le long du trottoir les deux hommes étaient maintenant assis avec l'une des négresses entre eux sur la banquette avant. Aucun ne parlait. Ils regardaient tous les trois droit devant eux. L'autre négresse avait disparu.

vidange huile moteur à Salonique

Ljubljana - Zagreb	148
Zagreb - Beograd	393
Beograd - Skopje	471
Skopje - Salonique	250
	1 262

LA BATAILLE DE PHARSALE

Evzoni - Salonique ?
type à tête de héron
type à tête de chimpanzé type à tête de cheval femme
à tête de chouette type à tête de mouton type à tête de
bouledogue type à tête de vautour blouson de cuir noir
veste à carreaux chemise kaki tricot beige complet vert
chemise rouge veston de velours côtelé bronze
    bouche comme une couture mal faite tirant sur la peau
et la plissant fente horizontale vers laquelle convergent
une profusion de petits traits en éventail
    homme aux cheveux gris ondulés soignés bec d'aigle
homme en tricot à col roulé grosses côtes homme en
veste nylon écossaise
    nègre en chemise noire pantalon noir veste mastic
souliers à boucles chromées brillantes avançant d'une
démarche nonchalante balançant les bras les plis de sa
veste trop longue se balançant
    femme au teint olivâtre les cheveux très noirs tombant
sur ses épaules vêtue d'un ensemble blanc au long collier
de verroterie orange-acajou pendant sur sa poitrine et
aux lobes de ses oreilles deux grosses boules crème
(Hagios Dimitrios — Salonique)
    chauve barbu homme canard homme à tête carrée
homme coiffé d'une sorte de bonnet, visage casqué, visage
aux yeux exorbités, main tenant un fouet bouche ouverte
criant
    d'autres fragments encore apparaissant dans la partie
inférieure de la mosaïque : la poignée d'une arme (mas-
sue, casse-tête ?) munie d'une lanière (dragonne), un pan

de tissu brun-rouge décoré de lignes ondulées blanches, une jambe (antérieur) de cheval repliée (appartenant sans doute à une monture tombée à terre se débattant) dessinant un V renversé c'est-à-dire le coude touchant la terre le genou au sommet du V le sabot retourné touchant le sol, une main qui semble chercher à repousser une roue ou peut-être un bouclier car au centre du cercle, dans un grouillement confus de méandres qui peuvent représenter le bouillonnement d'un tissu comme aussi bien les lignes serpentines d'une chevelure de bronze, apparaît un visage qui n'est rattaché à rien (de petits nuages de poussière ou des zones dont la peinture a disparu rendant les choses assez indistinctes) et qui vu son échelle (ne correspondant pas à celle du bras ou du guerrier nu) n'est peut-être qu'une figure peinte ou sculptée sur le bouclier (ou le moyeu de la roue), les jambes multicolores s'entrecroisant apparaissant et disparaissant toujours çà et là à travers la poussière mêlées aux jambes des chevaux

illi celeriter procucurrerunt : ceux-ci s'élancèrent rapidement

infestisque signis : et les enseignes en avant

impetum fecerunt : ils firent une charge

in Pompeii equites : contre les cavaliers de Pompée

tanta vi : avec une telle violence

Je ne savais pas encore...

ut eorum nemo consisteret : qu'aucun d'eux ne résista

omnesque conversi : et que tous faisant demi-tour

tournant bride, dit-il : il s'agit de cavaliers

derrière les reflets de ses lunettes je ne pouvais pas
voir ses yeux. Continue
non solum loco excederent : non seulement ils cédèrent
le terrain
sed protinos incitati fuga : mais aussitôt s'élancèrent
dans la fuite
prirent la fuite. De nouveau je le regardai. Mais ce
n'étaient rien que des mots, des images dans des livres,
je ne savais pas encore, je ne savais pas, couché ou plutôt
aplati sur l'encolure je pouvais voir en bas son ombre
étirée galopant sur le sol les prés sentant la houle de
muscles entre mes cuisses affolés par les détonations
soulevées par les sabots des mottes de terre volaient
quelqu'un a crié Doucement bon Dieu tenez-les ne les
laissez pas j'entendais des claquements secs métalliques
je ne savais pas le souffle des chevaux plus bruyant tandis
que toujours au grand galop nous remontions la colline
et puis tout à coup comme si le sol cessait s'ouvrait le
temps de voir les rails brillant dans l'ombre tout au
fond le vide un dixième un centième de seconde peut-
être *je ne sais pas* et au moment où il basculait j'ai eu
je ne sais trop comment le réflexe de le coucher sur le
côté et après de serrer mes jambes aussi fort que je pouvais pour me maintenir sur lui pendant qu'il glissait sur
le flanc le long de la pente et puis quelque chose sans
doute m'a accroché ou peut-être s'est-il débattu et j'ai
été désarçonné finissant *je ne sais trop comment non
plus* de dégringoler au milieu des pierres arrachées qui
roulaient entendant un bruit formidable au moment où

j'arrivais en bas et en me relevant j'ai vu la voiturette
de la mitrailleuse renversée sur l'attelage et les servants
c'est-à-dire ce qu'on peut voir dans ces moments-là un
amas de ferraille un bras qui sortait d'en dessous la main
ouverte dans un geste de protection comme pour arrêter
quelque chose une des roues peut-être et un des chevaux
de trait l'arrière-train probablement écrasé se débattant
empêtré dans les bricoles un de ses sabots frappant
convulsivement le sol ou plutôt le ballast comme s'il
grattait *je ne sais plus* j'ai vu le dernier cavalier disparaître au galop au loin derrière le bouquet d'arbres après
lequel tournait la voie puis après lui encore un cheval
sans cavalier galopant aussi les rênes flottant sur son
encolure lançant des ruades dans le vide je courais sur
la voie j'avais l'impression de courir sans avancer j'étais
à bout de souffle j'avais l'impression que mon estomac
mes poumons mon cœur tout pêle-mêle remontaient
m'obstruaient la gorge le sang battant dans mes oreilles
je

Il attendait, patient ou plutôt résigné, la tête légèrement inclinée, les verres de ses lunettes dans cette position comme deux lunes reflétant le désordre des papiers
sur son bureau éclairés par la lampe. Il faisait tout à fait
nuit maintenant. Maman et les autres devaient déjà attendre pour dîner. Il dit Allons finissons-en. Que tu puisses
au moins la recopier avant d'aller te coucher. Ecris :
     sua sponte : d'eux-mêmes
     represserunt cursum : ils ralentirent leur course
     ad medium fere spatium : à peu près à mi-distance

82

ne consumptis viribus appropinquarent : afin de ne
pas arriver épuisés

parvoque intermisso temporis spatio : et ayant laissé
passer un petit moment. Tu suis ?

oui

ac rursus renovato cursu : et de nouveau repris leur
course

je cessai de courir marchant seulement poumons cœur
dans ma gorge puis bruit d'ailes froissant l'air volant vite
puis quelque chose plus près sifflant ou plutôt comme
une corde de guitare pincée puis encore une autre qui
dut passer très près cette fois peut-être à quelques centimètres de ma joue me semblant sentir l'air fouetter je
me remis à courir pensant ils sont arrivés au haut de la
colline maintenant ils me tirent comme au stand comme
un lapin à chaque enjambée j'essayai de poser mon pied
sur les traverses une fois j'en manquai une me tordis la
cheville sur les cailloux du ballast faillis m'étaler meil-
leur chose à faire peut-être me croiraient mort mais je
continuai tout le fourbi sur moi le masque à gaz le bidon
le mousqueton sautant lourdement à chaque foulée brin-
quebalant les bretelles des cartouchières m'étouffaient
dans ma gorge ça m'étouffait je cessai de nouveau de
courir si toutefois ça pouvait encore s'appeler courir il
me semblait qu'il allait sortir rouge sanglant craquant
sous la dent quelque chose comme une énorme fraise
me rappelant quand on m'avait coupé les amygdales ils
continuaient à me tirer dessus coups isolés je ne savais
même plus si ça passait près ou loin j'essayai de repartir

du moins cette partie de moi-même qui voulait encore
qui pouvait encore vouloir pas le corps que je parvins à
faire sautiller à peu près l'espace de trois ou quatre traverses et alors je crus véritablement qu'il allait me jaillir
de la bouche sanguinolent revoyant ce petit cœur en or
décoré de rubis que grand-mère portait toujours sur elle
comme une relique un gri-gri magique et que j'avais vu
attaché à son cou avec une croix un jour à Lourdes quand
elle avait et alors je le cracherai simplement une espèce
de gros caillot lui mes poumons tout à la fois sanglants
je renonçai je ne marchais même plus à la vitesse d'un
homme au pas il me fallait même faire un effort pour
ouvrir assez mes jambes à l'écartement des traverses je
pensai que des milliers des dizaines de milliers de gens
étaient passés là assis sur des banquettes lisant leur
journal ou un livre regardant distraitement le paysage
un type sur une moissonneuse un cheval blanc une charrette de foin dans un champ une ferme images figées
apparues disparues conservées *Achille immobile à grands
pas* quelle heure puis de nouveau le livre quelle page à
droite *pas seulement les coiffures surmontant les visages
de leurs étroits cylindres* moissonneuse à grandes roues
de fer attelée d'un cheval blanc dans un chemin montant
le conducteur vêtu d'une chemise bleu clair d'un pantalon bleu foncé renversant le buste en arrière tendant
les rênes qu'il tient réunies dans une main le cheval
s'appuyant sur le mors donnant un coup de reins arrondissant l'encolure et levant haut la jambe de devant
comme s'il piaffait tirant vigoureusement sur les bri-

coles *que nous appelions le raidillon aux aubépines et où vous prétendez que vous êtes tombé dans votre enfance amoureux de moi alors que je vous assure en toute vérité que* finissant de charger la charrette entassant le foin la femme levant les bras étirant son corps pour tendre au bout de sa fourche la dernière gerbe l'homme au sommet du chargement enfoui à mi-cuisses dans le foin se penchant pour l'attraper aisselles de la femme broussailleuses noires à la naissance de ses bras verticaux *avec Albertine n'avaient été que des querelles particulières n'intéressant que la vie de cette petite cellule particulière qu'est un être Mais de même qu'il est des corps d'animaux* cœur dans la gorge poumons dans la gorge intestins dans la gorge m'étouffant livre de la jeune voyageuse en face couverture illustrée titre à l'envers essayant de lire vomir mon parfois l'été le vent gonflait le rideau de tulle de la chambre le repoussant à l'intérieur il restait ainsi un moment arqué ondulant légèrement puis il retombait quelle heure sans doute continuaient-ils à me tirer dessus mais *petite cellule particulière qu'est un être* dans le tapage que faisait mon sang je n'entendais même plus je ne m'en souciais même plus quelle heure pour mourir la verte campagne de la guerre vide désertée silencieuse pas un paysan dans les champs pas une moissonneuse dans le raidillon pas une charrette de foin vaches tuées dans les prés sur le dos les quatre pattes raidies tendues vers le ciel leurs corps gonflés comme des outres non loin deux autres paissant tranquillement dans l'herbe je ne regardais même plus tout ce que je voyais c'étaient

85

les traverses venir vers moi l'une après l'autre passer
au-dessous de moi comme dans un film au ralenti les
oreilles emplies par le bruit de mon sang j'aurais pu
compter chaque boulon chaque éclisse chacun des brins
d'herbe qui poussaient entre les cailloux du ballast je ne
me souciais même plus des balles peut-être avaient-ils cessé
de tirer peut-être continuaient-ils moments où on s'en fout
moments où on se fout de tout et même pas s'en foutre
rien d'autre que le raffut du sang les tempes dans un étau
toutes les tripes remontées dans la gorge prêtes à sortir
tuez-moi ne me tuez pas qu'est-ce que ça peut me je ne
savais pas que la mort très bien va chercher la police ameu-
ter tout l'immeuble je frappai encore je donnai même un
coup de pied dans le bas de la porte quelque chose se cassa
sur le côté de mon poing à l'intérieur oreille qui peut voir
petits os carpe métacarpe le cheval marche sur un doigt
la corne du sabot n'est qu'un ongle qui je pouvais les
voir piaffant grattant la terre devant eux puis les lances
s'abaissant pas toutes ensemble le mouvement gagnant
de proche en proche à mesure que l'ordre courait le long
de la ligne de bataille de sorte que cela fit comme un
éventail qu'on ouvre puis qui se referme toutes horizontales maintenant pointées en avant je me demandais
où il pouvait fourrer cette barbe rousse casque spécial
sans doute sa sale gueule de rouquin hijo de puta cette
espèce de lance rouge tendue pointée en avant de lui
oreille qui le pinceau avançant toujours vers la droite
bavant un peu parfois le trait épais rouge clair s'allongeant s'allongeant encore l'espèce de boule de cœur trian-

86

gulaire au bout gonflé poussant forçant se frayant un passage s'enfonçant je souffrais comme

De l'autre côté, sur la gauche, on pouvait voir la gare
le petit groupe de maisons autour, et un peu plus loin
cette ferme en bordure du champ de coton. Puis c'était
la plaine, unie, d'un brun tirant vers le mauve s'étendant
jusqu'au pied des collines. Point se déplaçant rapidement
soulevant un nuage de poussière qui s'étirait restait là
stagnant dans la fin d'après-midi déjà l'ombre des montagnes commençait à s'étendre.

mémoire qui voit lignes parallèles s'allongeant maladroitement tracées ondulant légèrement gravées à l'aide
d'une pointe dans la chaux recouvrant le mur en torchis
dessinant un couloir ou un tube A droite elles s'arrê-
taient toutes deux coupées par ce trait vertical au centre
de l'ovale poilu A gauche la ligne inférieure se terminait
par deux courbes dessinant deux bourses accolées ou la
lettre grecque ω

Puis je reconnus la camionnette bleue ARTICLES
POUR DOTS. Maintenant qu'elle se rapprochait on pouvait la voir bondir dans les nids de poule. Ça avait quelque chose d'absurde de burlesque. Me demandant ce
qu'il pouvait trimbaler là-dedans, agrippé au volant,
l'accélérateur enfoncé à bloc, sautant et retombant dans
ces trous, plus d'amortisseurs sans doute depuis belle
lurette, et sa camelote brinquebalante de colliers, trous-
seaux, verroteries, bracelets, ou de ces articles utilitaires,
dots des pauvres : draps, batterie de cuisine, fers à
repasser et lui parcourant en long et en large avec une

espèce de frénésie mercantile ou rêvant peut-être qu'il était un coureur automobile la terre où une fois le sort du monde... Au loin on pouvait voir deux ou trois villages ou plutôt hameaux aux maisons d'un blanc gris entourées de bouquets d'arbres gris.

cargaison de pacotille secouée à mort les caisses s'entrechoquant les bracelets tintant minces anneaux imitant des torsades incrustés dans mon dos Je regardais la table à modèle vide l'atelier vide Il n'y avait pas de toile posée sur le chevalet tout était bien rangé ça faisait mort poussiéreux je cherchais Mort il n'y avait pas d'autre mot *non seulement la mort mais la conscience de ta mort* Espèce d'enfant de putain de rouquin

alors ?

je dis ça devait être là qu'est-ce que tu en penses ?

où

ici là devant

ou là-bas ou aussi bien là-bas en admettant que ce truc sur lequel nous sommes soit une montagne appeler ça un mont ça me semble un peu exag

la rivière doit couler là-bas le long de ces arbres et de ces buissons

de toute façon qu'est-ce que ça peut faire cette colline ou celle-là là-bas de toute façon les choses ne se sont jamais passées comme on l'imagine ou si tu préfères on n'imagine jamais les choses comme elles se passent en réalité et même si tu y assistes tu ne peux jamais les voir comme

oh arrête

elles sont Alors fais comme tout le monde et décide
qu'elles sont ce que tu crois voir ou imagine-les et décide
que c'est comme ça que ça s'est passé et alors ça se sera
réellement passé ici

Peut-être s'était-il tenu là parcourant la plaine des
yeux homme de bronze noir dur chauve aux joues plates
colline baptisée mont non pas rocheuse c'est-à-dire faite
d'un bloc compact mais plutôt un entassement de grosses
pierres certaines jusqu'à deux mètres de long plates des
dalles d'autres bombées quelquefois de gros cailloux simplement leurs interstices comblés par une terre friable
couleur rouille (d'où la teinte rougeâtre de la colline de
loin en tout cas en venant du village du côté où il y avait
moins de roches) où prenaient racine des touffes d'herbes
sèches des piquants parfois de ces buissons vert foncé
Pieds de bronze noir chaussés de sandales de bronze Je
baissai la tête Par endroits la dalle se teintait d'un rose
tendre Des comment s'appellent ces mousses plates micro-
scopiques (lichens ?) qui se développent comme des
taches sur un buvard y dessinaient des îles des archipels
noires vert amande vert jaune. Avec le soir maintenant
montaient parfois des bouffées de ces parfums secs lavande
thym.

bien On n'est pas beaucoup plus avancés que tout à
l'heure Si on veut rouler encore un peu avec le jour on
ferait peut-être bien de filer A moins que tu ne croies
qu'on s'est trompés mais je ne vois pas quel autre chemin
on aurait pu prendre Si c'est au départ qu'on s'est trompés c'est que

LA BATAILLE DE PHARSALE

la femme du Hollandais se tient dans l'encadrement de la porte elle est vêtue du même pull-over d'homme que sur la photo jaunie Sous la frange à la Jeanne d'Arc ses yeux le dévisagent Par-dessus son épaule il regarde l'atelier vide la table à modèle vide avec encore dessus ce tissu cette espèce de tapis tunisien à raies sur lequel elle s'allongeait les raies vertes projetant leurs reflets sur le côté du sein droit son flanc son ventre le dessous de sa cuisse Il dit Je croyais Et elle Il a été obligé de sortir il l'a prévenue ce matin de ne pas venir Comme ça l'atelier faisait triste sale l'odeur d'essence de térébenthine de peinture refroidie flottant comme si c'était l'hiver comme le fantôme d'une odeur un cadavre d'odeur Et elle Mais ne restez pas là entrez je vais vous faire du café Et lui Mais non ne vous Reculant cherchant à Et elle Ce sera vite fait il y en a pour une minute L'odeur froide d'essence

jalousie où donc page de droite en haut

tissue seulement avec des pétales de poiriers en fleurs et sur les places les divinités des fontaines publiques tenant en main un jet de glace

entendu dire me demanda-t-il en me quittant que ma tante Oriane divorcerait Personnellement je

une gradation verticale de bleus glaciers Et les tours du Trocadéro qui semblaient si proches des degrés turquoise

les indications topographiques, au contraire, sont très insuffisantes César se borne à dire qu'il a établi son camp dans les champs (in agris) *et dans une position favorable* (ideonem locum nactus) ; *que Pompée de son côté a aligné ses troupes en bataille* non iniquo loco *Il ajoute que l'armée de Pompée appuyait son aile droite à une « rivière » aux rives escarpées* (dextrum cornu ejus rivus quidam impeditis ripis muniebat) *Il note que l'espace entre les deux armées était juste suffisant pour que leurs forces pussent s'affronter* (tantum erat relictum spatii ut satis esset ad concursum utriusque exercitus) *enfin que le camp de Pompée était sur une colline au pied de montagnes très hautes* (montes altissimos) *par où les Pompéiens se réfugient à la fin du combat sur un « mont dépourvu d'eau »* (mons sine aqua) *mais baigné par un fleuve* (hunc montem flumen subluebat) *Comme l'a très bien observé Heusey cette description n'est claire que pour qui ne cherche pas à l'approfondir*

pierre sur laquelle Mais douteux La même pourtant et ici même depuis et moi dessus Rien d'autre que quelques mots quelques signes sans consistance matérielle comme tracés sur de l'air assemblés conservés recopiés traversant les couches incolores du temps des siècles à une vitesse foudroyante remontant des profondeurs et venant crever à la surface comme des bulles vides comme des bulles et rien d'autre Clair pour qui ne cherche pas à l'approfondir

la traînée de poussière soulevée par la camionnette était retombée Le pied des collines que longeait la route là où elles arrivaient en pente douce au contact de la plaine se découpait de nouveau avec netteté Un voile de poussière stagnait encore finissait de se diluer en haut

de la côte là où nous avions laissé la voiture plus dense
dans la portion de la route qui longeait la carrière puis
filait tout droit vers le village Il n'y avait plus personne
sur le terrain de foot-ball je me rendis compte que depuis
un moment déjà on n'entendait plus les cris

théâtre vide de la guerre déserté silencieux pas un
paysan dans les champs pas de moissonneuse dans le raidillon aux aubépines pas de cheval blanc pas une charrette de foin

ils disparurent gesticulant silhouettes blafardes dans
la lumière des réverbères marchant en file indienne pein-
turlurés comme des Indiens celui presque nu coiffé d'un
casque de pompier faisant tournoyer un glaive les filles
dans leurs robes grecques troussées crottées poursuivies
par le type qui brandissait son énorme godmiché à tête
cramoisie *comment avec de si grosses et si longues pattes
pourrais-je chevaucher un corps si délicat comment avec
mes durs sabots étreindre des membres si blancs si tendres faits de lait et de miel et les petites lèvres empour-
prées par une rosée d'ambroisie comment les baisers
d'une bouche aussi large que la mienne monstrueuse avec
ses dents difformes rocheuses et puis enfin comment une
femme même en feu jusqu'au bout des ongles pourrait-
elle jamais accueillir un membre aussi énorme et elle
pendant ce temps multipliait les mots tendres ses furieux
baisers ses doux gémissements ses yeux me mordaient
Je te tiens me dit-elle dans un paroxysme je tiens mon
petit pigeon mon passereau et alors combien mes imagi-
nations avaient été fausses et mes craintes stupides elle*

me le prouva car m'embrassant plus étroitement encore
c'est tout entier oui tout entier qu'elle me reçut et même
chaque fois que pour la ménager je me retirais elle se
rapprochait avec frénésie et saisissant ma pine à pleines
mains elle l'enfonçait dans une étreinte encore plus pro-
fonde si bien que Hercule ! j'aurais même pu croire que
pour la faire jouir complètement il me manquait encore
quelque chose ah ! que la mère du Minotaure et son
mugissant amant

rouquin fils de pute HIJO DE PUTA

presque à mes pieds un de ces petits oiseaux s'envola
me faisant sursauter crrrlirlirlirlui tire-ligne comme une
pierre grise filant en ligne droite lancée par une fronde
puis son vol s'infléchit remonta s'infléchit de nouveau
deux fois et il disparut

le silence reflua tout de nouveau immobile

divinités des fontaines publiques tenant en main un
jet de glace pine à pleines mains et alors peut-être immobilisés comme ça retenant leur respiration sueur se glaçant
sur eux

idiote avec son café me retenir complice peut-être
épouse complaisante ou alors cherchant à savoir elle aussi
espoir de me tirer les vers du nez

imagine que c'était là il suffit d'

je croyais l'entendre le voir gris dans cette espèce de
tombeau qu'il s'était inventé et où on aurait dit que la
lumière du jour ne devait pénétrer pour rien au monde
sans quoi sans doute Tombeaux où quand les profana-
teurs lords anglais à favoris roux couvre-nuques et om·

93

brelles ont fait irruption des milliers d'années plus tard
ce qui avait traversé des siècles et des siècles intact est
subitement tombé en poussière Et dans le corridor d'entrée les fantômes grisâtres exhalant cette odeur de fatigue
de sueur refroidie auxquels il remettait comme un viatique ces
   pièces de bronze verdies rongées ou plutôt pustuleuses
où se distingue un vague profil CAESAR AUGUSTUS IMP
   imagine
   on put voir dans le camp de Pompée des berceaux de
verdure dressés avec soin les tentes couvertes de gazon
frais quelques-unes même comme celle de Lentulus ombra-
gées par du lierre en sorte qu'on était facilement conduit à
penser que des gens qui recherchaient des voluptés aussi
superflues peu à peu nous avions fini par nous installer
A mesure qu'avril s'avançait les petites feuilles des charmes grandissaient le sous-bois se piquetait d'abord de
points clairs puis cela fit comme un léger brouillard vert
transparent Sous la tente nous avions disposé une litière
de petites branches entrecroisées entassées qui nous protégeait de l'humidité je ne savais pas qu'on pouvait si
bien dormir avec une selle de cheval comme oreiller sa
concavité je ne savais pas encore que la mort
   le soleil déclinait les ombres des montagnes s'étiraient
de plus en plus la chaleur n'avait pas diminué mais la
lumière se faisait moins blanche Dans leurs parties
ombrées les collines se teintaient de bleu Après la soupe
du soir dans le crépuscule ils s'exerçaient à la trompette
les sons cuivrés se répondant se répercutant sous les

grands arbres jusqu'à la nuit tombante parfois même un qui avait sans doute trop bu couacs

les ouvriers de la carrière étaient partis un camion à moitié chargé de blocs roses était garé sous la trémie Le camion la trémie une autre trémie et une petite baraque à côté étaient entièrement recouverts d'une couche de poussière grisâtre

maintenant il n'y a plus de pigeons sur la place l'asphalte mouillé a séché il est d'un gris terne et ne reflète plus la façade des immeubles d'en face qu'à certains endroits où l'eau accumulée ne s'est pas encore complètement évaporée près de la grille d'un arbre derrière la sortie du métro où suivant une légère déclivité l'eau s'accumule arrêtée par le soubassement de la murette

la façade de l'immeuble n'étant plus éclairée par le soleil ces plaques encore humides ne font plus des taches claires dorées mais luisent, simplement

il n'y avait plus personne non plus dans le champ étroit au flanc de la colline la charrue restait plantée à l'une des extrémités son soc enfoncé dans la terre rouge ses deux mancherons dressés vers le ciel comme une paire de cornes

la terrasse du café est déserte le garçon en tablier bleu remettant rapidement de l'ordre dans les chaises et les guéridons il y a deux rangées de guéridons en profondeur et deux par rangée du côté droit du passage qui mène à la porte du café soit quatre guéridons à droite chacun pourvu de deux chaises quatre par rangée à gauche du passage soit huit guéridons de ce côté-là et seize chaises un âne gris au ventre ballonné aux grands yeux noirs entourés de blanc est attaché à un piquet en bordure du terrain de football désert il relève la tête quand nous passons ses longues oreilles se couchant légèrement peut-être apeuré par le bruit du moteur puis tandis que nous nous éloignons je peux le voir dans le rétroviseur il a de nouveau baissé la tête et se remet à mâcher un chardon jauni

au-dessus des collines pierreuses un nuage bas s'allonge se teintant de rose

les gens continuent toujours à sortir du métro à intervalles à peu près réguliers toujours par fournées correspondant aux arrivées des rames d'abord un puis deux puis trois espacés ceux qui ont sauté les premiers des voitures ou marché le plus vite puis des grappes serrées souvent un sur chaque marche deux quand il y a des couples puis s'éclaircissant de nouveau Plusieurs maintenant s'arrêtent près de la marchande de journaux qui est installée contre la balustrade certains fouillant dans leur poche préparant leur monnaie à l'avance la plupart s'éloignant en jetant un coup d'œil sur les titres de la première page tout en marchant quelques-uns s'arrêtant déployant le journal d'autres le mettent sous leur bras ou le plient en deux et s'en vont le tenant à la main sans le regarder

la chatte blanche n'était plus perchée sur le poteau badigeonné de chaux les portes à glissière du garage étaient fermées je vis une des trois poules au cou décharné rose mais pas les deux autres un nuage se reflète de nouveau dans les vitres de la fenêtre au cinquième étage et les traverse lentement ses bords ne se raccordant pas en raison de l'angle formé par le vantail de droite toujours légèrement entrouvert le ciel reflété est maintenant très foncé le nuage en paraît d'autant plus éclatant

toutes les tables peintes en bleu rangées à l'extérieur du café sur l'étroit trottoir étaient maintenant entourées d'hommes assis je remarquai que sauf sur l'une d'elles il n'y avait aucune consommation le patron était debout sur le seuil il reconnut sans doute la voiture quand nous passâmes car il leva la main pour nous saluer en même temps qu'il dut dire quelque chose car tous les hommes assis aux tables même ceux qui tournaient le dos à la rue tournèrent la tête et nous suivirent du regard Il n'y avait pas de marchand de journaux

est-ce qu'il y avait vraiment un terrain de football comment aurait-il pu y en avoir au milieu de toute cette caillasse il faudrait vérifier mais vérifier quoi peut-être était-ce la veille dans un endroit moins sec en Macédoine peut-être batailles là aussi Philippes Brutus Cassius Octave Antoine Sort du monde encore une fois A la réflexion il y en avait un une partie se déroulait puisqu'il m'a dit que j'allais nous flanquer dans le fossé et alors j'ai arrêté l'auto et pendant un bon moment nous les avons regardés courir et se poursuivre je peux me rappeler le bruit mat quand ils tapaient dans le ballon alors pas de chatte blanche peut-être sur ce poteau près du poste Shell un couple est venu s'asseoir à la terrasse ils se sont mis du côté droit à la table sur laquelle était resté affalé le jeune homme ivre (ou malade ?) le garçon est sorti de l'intérieur du café s'est approché et s'est tenu debout près d'eux sans doute le couple ne sait-il pas très bien ce qu'il veut boire tout au moins la femme car de temps en temps tandis qu'ils discutent le garçon jette un regard distrait sur la rue les autos enfin il tourne les talons et disparaît de nouveau à l'intérieur Le couple ne présente rien de particulier

II

174684

LEXIQUE

*Je fixais avec attention devant mon esprit
quelque image qui m'avait forcé à la regarder, un nuage, un triangle, un clocher, une
fleur, un caillou, en sentant qu'il y avait
peut-être sous ces signes quelque chose de
tout autre que je devais tâcher de découvrir,
une pensée qu'ils traduisaient à la façon de
ces caractères hiéroglyphiques qu'on croirait
représenter seulement des objets matériels.*

MARCEL PROUST.

BATAILLE

Il fait beau. Le ciel est d'un bleu léger, lavé, comme il est par temps très clair vers sept ou huit heures du matin quand il a plu la veille, avant que la chaleur ne l'embrume ou le plombe. Des nuages étirés sont suspendus ou plutôt flottent çà et là, comme les îles d'un archipel, les plus petits, que leur minceur laisse traverser par la lumière, entièrement blancs, les plus grands, plus épais, ombrés d'un léger roux. Leurs formes aux dentelures allongées, toutes orientées dans le même sens, sont celles que façonne un vent violent, comme celui qui a sans doute soufflé pendant la nuit, chassant la pluie — ou peut-être encore à l'aube —, mais qui est maintenant tombé, aucun souffle n'agitant les branches rigides des arbres (tout au plus les feuillages sont-ils parfois parcourus de légers frémissements qui ne courbent même

101

pas les rameaux), les nuages continuant à glisser lentement sur leur lancée, si lentement qu'ils paraissent presque immobiles, leurs formes et leurs distances respectives restant inchangées, l'archipel tout entier dérivant à vitesse constante, les nuages les plus proches parcourant une distance apparente plus grande tandis que les plus lointains, quoique animés de la même vitesse, paraissent, eux, rester sur place, de sorte que le ciel semble pivoter imperceptiblement autour d'un point fixe, situé à l'infini.

La lumière a donc cette transparence et cette qualité (c'est l'heure où les oiseaux chantent encore, les alouettes, et ces petits oiseaux gris au vol court, soudain, rectiligne, d'un buisson à l'autre, accompagné d'un cri semblable au grincement d'une poulie tournant très vite) qui sépare nettement les formes et semble sélectionner les couleurs claires (les roses, les vert amande, les blancs, les bleus des aciers reflétant le ciel), les quelques taches plus foncées (des rouges, des vert olive ou les bruns) accentuant encore par contraste cette impression de suavité et de paix matinale que ne contrarient pas les courbures des étendards mollement gonflés *parfois le rideau de tulle oscillait sous la poussée d'un souffle d'air formant une poche avançant à l'intérieur de la chambre il restait un moment ainsi en équilibre respirant faiblement comme un ventre ses bords ondulant puis retombait* où l'on peut voir des figures d'animaux ou de personnages héraldiques (lion, aigle, héron, tête de nègre), les armes ou projectiles (javelots, flèches *d'après Tite-*

LA BATAILLE DE PHARSALE

Live c'est Crastinus qui lança le premier javelot) aux
hampes peintes de couleurs elles aussi suaves, qui se
détachent sur le ciel ou sur les étendards, immobiles
aussi, comme les nuages, comme si elles étaient suspen-
dues à des cintres invisibles par d'invisibles fils qui les
maintiendraient au-dessus de la mêlée des combattants,
les deux armées à ce moment *si l'on en croit Plutarque
le combat avait commencé au lever du soleil* déjà étroitement pénétrées, se traversant l'une l'autre à la façon des
dents de ces peignes des métiers à carder, certains des
maillots roses parvenus au-delà de la foule des maillots
verts, se trouvant donc sur les arrières de ceux-ci, et
inversement, de sorte qu'il n'est plus possible de distinguer une ligne de bataille ou des mouvements d'ensemble, l'action se fractionnant en une multitude d'affron-
tements singuliers, de duels entre des adversaires appa-
riés et qu'ignore le couple voisin, le tout dans un espace
si réduit *il prévoyait que serrés dans une plaine si étroite
les sept mille cavaliers de Pompée en viendraient moins
à craindre l'ennemi que le voisin* que les mouvements
des uns et des autres, comme sur ces pistes de danse
exiguës serrées entre les tables des soupeurs, ont un
caractère heurté, arythmique et privé d'élan : les chevaux
au pas, ou même arrêtés, parfois tout au plus légèrement
cabrés comme pour franchir un petit obstacle — un
mort, un tronc d'arbre — ou l'un d'eux lançant une
ruade par ce réflexe qui pousse les chevaux lorsqu'ils
sont trop pressés sur leur arrière, les corps des combattants (à l'exception d'un blessé, en maillot rose, à quatre

103

pattes par terre *je me demandais si j'étais mort je ne souffrais pas je cherchai à remuer mes membres sans y parvenir chacun d'eux pesant des centaines de kilos une tonne ma tête attirée vers le sol par son poids lourde en plomb* et un cavalier renversé sur sa selle) non pas inclinés dans des attitudes de course ou d'effort pour appuyer ou esquiver un coup mais, pour la plupart, droits, comme si la cohue, la presse, ne leur permettait rien d'autre que ces gestes sans ampleur et forcément un peu raides. On dirait des gens obligés de se battre dans un couloir contre les parois duquel ils se cogneraient sans cesse, ou plutôt entre deux plaques de verre tellement rapprochées qu'à la fin ils semblent pris, immobilisés tels quels, comme ces animaux ou ces objets enfermés dans un bloc de plexiglas, encastrés les uns dans les autres par la pression des deux parois transparentes qui ne laisse plus subsister à la fin entre les combattants le moindre vide, tout espace (par exemple entre une cuirasse, un bouclier, une épaule, ou entre un bras levé et l'une de ces *hautes coiffures surmontant les visages de leurs étranges cylindres* allant en s'évasant, c'est-à-dire cylindre au départ, autour du front, puis coniques), tout espace, donc, intégralement rempli (par une portion de visage, un profil, un autre casque, un œil, le fer d'une hache), le ciel lui-même, au-dessus du moutonnement des têtes (découpé par les lances, roses, blanches, ou brunes, les courbes des étendards) aussi dur que du mortier, aussi matériel que le bleu des aciers, aussi impénétrable que les visages des combattants, les profils corbins ou prognathes empreints de cette impassibilité, de cette sérénité brutale qui constitue de tous temps l'apanage des puissants et de leur entourage (valets, portiers d'hôtel, chauffeurs de voitures de maîtres, gens de la haute couture), s'extériorisant dans un mélange de raffinements inouïs ou même agressivement ridicules (comme ces chapeaux, ces coiffures, ces plissés, ces pourpoints, ces jabots tuyautés, ces armures exagérément ornées), d'insolence, d'équivoques préciosités *la belle jeunesse de Rome ces beaux danseurs si fleuris jaloux de conserver leur jolie figure ne soutiendraient pas l'éclat du fer brillant devant leurs yeux,* le sol, où piétinent les jambes mêlées des chevaux et des fantassins, d'une couleur claire aussi, gris-vert, et rigoureusement plat comme celui, artificiellement damé, d'un terrain de jeu, d'une place ou d'une scène de théâtre.

Il fait sombre. Sans doute la journée touche-t-elle à sa fin. L'obscurité commence à envahir la plaine, les collines, la campagne où les feuillages des haies, des arbres ont maintenant pris une teinte uniformément marron, bitumeuse, la lumière ayant cette qualité crépusculaire d'un jour d'orage où, sous un ciel bouché (non pas un de ces plafonds de nuages gris et froids des climats septentrionaux, mais *le combat avait commencé le 9 août au lever du soleil* cette sorte de couvercle bas, comme une plaque de bronze, pesant sur le paysage, enfermant choses et gens au sein d'un espace clos, sans air), dans l'étouffante lourdeur de ténèbres à demi nocturnes, intemporelles (et peut-être cette pénombre brunâtre n'est-elle ni celle d'une aube ou d'un crépuscule, peut-être le temps est-il une notion *je ne savais pas depuis combien de temps je courais il me semblait qu'il devait y avoir des heures peut-être n'y avait-il même pas une minute il me semblait* qui n'a pas sa place ici *que cette voie de chemin de fer ce ballast ces traverses qui venaient lentement à ma rencontre défilaient sous moi* non plus que celle d'espace d'air *surgissaient d'un vague néant sans dimensions dans l'espace ou le temps comme ces choses qu'on voit en rêve ou plutôt dans les cauchemars se détachant sur un fond incertain d'une obscurité terreuse où je courais sans avancer,* peut-être arbalétriers, fantassins, cavaliers, écrasés sous ce ciel obscur, sont-ils condamnés, oubliés là, à se battre, s'entretuer jusqu'au dernier sans espoir de fin, de lendemains, d'aubes), les objets, les formes, semblent doués d'une sorte de phosphorescence, comme si la lumière sourdait pour ainsi dire d'eux-mêmes, comme si sa source ayant été obturée, celle qui pendant le jour s'est accumulée dans les choses s'en échappait maintenant, peut-être pour un bref instant seulement pendant lequel dans le crépuscule marron les robes des chevaux (isabelle, ivoire, brique, blanches, grises), les visages, les lièvres fuyant dans les sillons, les bois des arbalètes et des hallebardes se découpent en taches lumineuses, comme des lanternes de parchemin, les morceaux de lances brisées parsemant le sol (où, même sous les sabots emmêlés des lourdes montures, aucune ombre ne se projette) du même jaune ou du même rouge clair que celles brandies par les chevaliers aux

106

sombres armures reflétant non pas, comme le matin, le bleu d'un ciel limpide, mais ce plafond de bronze, de la même couleur que la terre.

Et, à la différence aussi du matin (peut-être la bataille s'est-elle déplacée ?), le sol, quoique toujours absolument plat comme celui artificiellement damé d'une place ou d'un théâtre, se relève ici en pente douce, à la façon d'un plan incliné, de sorte que l'on peut voir s'échelonner en profondeur les pieds des chevaux et des fantassins qui sont aux prises. Ce n'est évidemment qu'un des épisodes de la bataille (d'autres petits groupes de soldats, de cavaliers, d'autres lances se détachant sur le fond sombre sont en effet visibles dans le lointain), une de ces « affaires » locales (aile droite ou aile gauche) où alternativement la fortune des armes bascule *notre cavalerie n'en soutint pas le choc mais chassée de sa position elle recula peu à peu Quand César s'en aperçut il donna le signal à la quatrième ligne qu'il avait formée de six cohortes ils s'élancèrent promptement et firent une charge avec une telle violence contre les cavaliers qu'aucun ne résista et que tous tournant bride non seulement quittèrent la place mais s'enfuyant à qui mieux mieux se réfugièrent sur les plus hautes montagnes* autour de la colline qui s'élève à l'arrière-plan, avec ses champs étroits cloisonnés par des haies, rayés de sillons et où *il n'y avait plus personne dans le champ étroit entre la pierraille le laboureur était parti emmenant sa mule seule restait à l'une des extrémités la charrue son soc planté dans la terre ses deux mancherons dressés vers le ciel*

107

comme les cornes d'une gazelle l'on peut voir quelques pins rabougris, les lièvres effrayés et trois soldats dont l'un recharge son arbalète, colline, lièvres, et les trois soldats comme peints sur une toile de fond, verticale, formant un dièdre à angle droit avec le sol damé du premier plan sur lequel les morceaux de lances brisées se détachent avec netteté, disposés perpendiculairement les uns aux autres, formant une sorte de carroyage discontinu mais dont les lignes de fuite suggèrent la notion d'espace et de profondeur de même que le dessin de quelques-uns des objets, particulièrement les chevaux, non plus représentés seulement de profil mais, certains, gisant à terre ainsi que leurs cavaliers, dans des positions postulant une troisième dimension, l'un d'eux, couché sur le flanc, apparaissant dans un raccourci qui montre au premier plan ses fers, ses sabots, ses jambes et son ventre, faisant toutefois penser plutôt à une statue équestre coulée dans du métal, abattue, qu'à un animal mort, flasque, désuni, d'autres chevaux étant montrés de trois quarts, vus de derrière et présentant leur croupe : ce sont ceux, sur la droite, d'un groupe de cavaliers qui viennent de tourner bride, pas encore au galop (soit qu'ils se trouvent dans cet instant, immédiatement après avoir fait volte-face, où ils n'ont pas encore éperonné leurs montures, soit que le chemin de leur retraite se trouve obstrué par la cohue des fuyards dans laquelle ils essaient de se frayer un passage à coups de masse d'armes), l'un des chevaux, à robe isabelle, ruant en direction du spectateur, cavaliers et chevaux dans des postures statiques, comme peuvent l'être, sur une scène de théâtre, celles de figurants chargés, faute de place, moins d'accomplir des actions que de les suggérer, l'effet recherché (fuite, profondeur) étant obtenu au moyen d'une habile dispo-sition scénique qui relie ce groupe au décor peint, la courbe descendante de la colline s'inclinant, plongeant avant d'atteindre les hautes plumes d'autruche qui déco-rent les cimiers, la forêt des lances dressées, de sorte que les fuyards semblent se diriger vers sa droite pour la contourner, constituant apparemment l'arrière-garde *le dernier cavalier disparaissant au galop au coin du petit bosquet que contournait la voie à sa suite un cheval sans cavalier les rênes flottant sur l'encolure les étriers vides fouettant l'air disparut aussi j'en vis un autre trop tard arrivant tête levée l'œil fou je réussis à accrocher une rêne mais d'une main seulement il me souleva presque de terre ma main s'ouvrit un étrier me frappa le coude De dos s'éloignant il semblait rebondir sur place sans avancer il décroissait rapidement peu après j'entendis siffler les premières balles une d'abord comme un frou-frou d'air puis plus près Le clocher pointu gris-bleu d'une chapelle sortait des feuillages du bosquet* d'une troupe plus importante dont, sur la toile de fond, on aperçoit la tête — ou plutôt l'un des groupes de tête — déjà parvenue au-delà de la colline, tout en haut du tableau, s'éloignant, cheminant tranquillement comme des gens parvenus hors de portée des projectiles *il repa-rut à la droite du bosquet, minuscule, au petit galop à présent le buste redressé le cheval sans cavalier l'avait dépassé continuait à caracoler encensant et ruant par moments des quatre fers comme s'il était poursuivi assailli par une nuée de mouches ou plutôt de taons puis ils atteignirent les premières maisons et je cessai définitivement de les voir De derrière ils continuaient toujours à me tirer dessus mais sans grande conviction aurait-on dit ou peut-être simplement maladroits je m'en foutais je me foutais de tout maintenant cœur enflammé rouge serti de rubis coincé dans ma gorge la déchirant,* les plumes d'autruche réunies en bouquets sur les cimiers des casques comme des jets d'eau, rouges et brunes, les sombres cuirasses d'acier bruni aux plaques articulées semblables à des carapaces de crustacés, les visières baissées en forme de becs d'oiseaux *me demandant où il pouvait bien fourrer cette barbe rousse enfant de putain,* les rares visages découverts des fantassins comme des taches claires, des lampions, suspendus dans le crépuscule qui peu à peu s'épaissit, enténèbre lentement le champ de bataille où l'on ne distingue plus, çà et là, que quelques charges isolées, sporadiques, quelques groupes de cavaliers poursuivant les derniers fuyards, semblables à de bizarres et funèbres oiseaux de métal empanachés d'aigrettes, furieusement penchés, leur longue lance pointée en avant, sur l'encolure de leurs coursiers phosphorescents, et les jambes claires d'un fuyard s'enfonçant dans la nuit, des armes brisées *des tessons de bouteille des valises crevées je vis même des matelas des édredons un agrandissement photographique d'un couple de mariés dans son cadre le verre étoilé çà et là dans l'obscurité bitumeuse on*

110

*pouvait voir s'élever des flammes des incendies il est
difficile la nuit de se rendre compte on en voit longtemps
la lueur d'abord devant puis plus tard sur le côté puis
plus tard encore en arrière éclairant d'en dessous la base
de la colonne de fumée des nuées cuivrées tourbillon-
nantes parfois plus haut que les flammes jaillissait brusquement une torche d'étincelles se tordant puis elles
s'éparpillaient retombaient en une pluie de petits points
jaunes d'abord puis rouges puis s'éteignant je ne savais
pas encore que des expressions comme marcher au feu
le baptême du feu voir le feu n'étaient pas des méta-
phores armes à feu et que les traces que laisse la guerre
derrière elle sont simplement noires et sales exactement
comme la suie d'un conduit de cheminée au petit jour
nous traversâmes un village où des pans de murs des
poutres effondrées fumaient encore somnolents sur nos
chevaux cahotés au rythme de leurs pas nous regardions
défiler les ruines comme sur un écran un décor des gens
s'affairaient entassant parmi les flaques noirâtres sur le
trottoir détrempé des choses à demi consumées apparemment inutilisables des femmes fouillaient dans le
tas en extrayaient des bouts de tissus des rideaux ? des
robes ? roussis qu'elles tenaient à bout de bras devant
elles les considéraient avec attention puis les pliaient soigneusement ils nous regardèrent aussi avec indifférence
et se remirent à leur travail non loin il y avait des maisons intactes mais dont toutes les vitres des fenêtres
avaient été brisées parfois un rideau pendait au dehors
comme s'il avait été aspiré les éclats de verre parsemaient*

111

la chaussée dans le jour naissant ils scintillaient par milliers le sol en était couvert reflétant le ciel safran qui peu à peu

C'est l'aube peut-être, peut-être est-ce le premier choc *il donna le signal par la trompette* — ou un peu plus tard que l'aube proprement dite : cet instant qui précède le lever du soleil, lorsque les brumes du ciel, jusquelà simplement grisâtres et s'éclairant par degrés, se teintent tout à coup de jonquille, striées près de l'horizon de traînées roses, les derniers reflets des hautes flammes qui s'élèvent encore au-dessus d'une ville à l'horizon : alors sans doute la bataille est-elle déjà engagée *dans le ciel couleur de fleurs se diaprant de teintes suaves les petits avions d'observation faisaient les premiers leur apparition montaient peu à peu à partir de l'horizon comme des insectes des ballons lâchés par un enfant ponctuels matinaux anodins ridiculement lents musardant et aussi dangereux que la mort elle-même il n'y avait pas un boqueteau rien que la plaine jaunâtre sur laquelle se levait le jour sans un endroit où se dissimuler Sans se presser l'un d'eux décrivit plusieurs cercles au-dessus de nous puis il fit demi-tour et disparut je pensai que la journée allait être chaude je ne savais pas encore* depuis les premières lueurs, car on peut distinguer à l'arrièreplan, sur un éperon rocheux, des tas confus qui semblent être faits de corps amoncelés ce qui, toutefois, n'apparaît qu'à un examen attentif, les formes d'un gris bleuâtre pouvant aussi bien être prises, au premier regard, pour des rochers, hommes et nature étant, dans tout le vaste

paysage qui se découvre, étroitement imbriqués et, dirait-
on, appartenant à un même règne où le végétal, l'animal
et le minéral seraient confondus, la forêt de lances dont
se hérisse la masse des combattants parcourue de remous,
de frissons, ondulant à la façon des épis dans un champ
de blé sous les poussées du vent qui les fait tour à tour
ployer et se redresser, le mouvement se propageant de
proche en proche (comme ceux qu'exécutent sur les
scènes des music-halls ces bataillons de girls levant et
abaissant leurs jambes — ou leurs bustes — l'un après
l'autre de sorte que de longues vagues semblent courir
le long du front des cuisses nues, des sourires figés et des
coiffures emplumées), l'ensemble des deux armées dans
une confuse mêlée agitée de contractions, de lentes et
sinueuses convulsions comme celles qui resserrent ou
dilatent les intestins ou ces inextricables nœuds de rep-
tiles emmêlés dans ces combats mortels où dans les replis
compliqués des anneaux il est impossible de reconnaître
l'un ou l'autre *ceux qui étaient engagés dans le chemin
menant au village d'où les premières rafales étaient parties refluèrent en désordre les autres s'arrêtant sautant
à bas des chevaux mains tâtonnant déjà dans leurs dos
pour dégager le mousqueton du crochet de la ceinture
puis de la queue de la colonne parvinrent aussi des cris
des explosions fuyant ils arrivèrent au galop cela fit
comme un accordéon se resserrant ceux de l'avant-garde
refluant toujours les autres poussant tous serrés dans
ce chemin creux il dut y en avoir de piétinés les chevaux
avaient des yeux fous levant haut la tête hennissant il*

entendit qu'on criait A cheval rejetant le mousqueton dans son dos il mit le pied à l'étrier et c'est à ce moment que la selle, les casques serrés, moutonnant (de simples coquilles d'acier, sans cimiers), semblables aux dômes de bulles agglutinées à la surface des tourbillons d'une eau noire, épaisse, tournoyant lentement, et qui rejetteraient sur les bords, expulseraient une écume sale, une bave jaunâtre de détritus et de chevaux morts, l'ombre des nuages glissant posant sur cette surface écailleuse des plaques sombres où le métal des cuirasses, cessant de luire, s'enténèbre encore, nuages, rochers, maisons *dans la plaine au loin on pouvait voir quelques villages aux maisons d'un blanc sale quelques bouquets d'arbres d'un gris sale aussi,* montagnes, multitudes furieuses se mêlant dans un ensemble en quelque sorte cosmique, quelque maelström où se tord le torrent métallique étincelant çà et là de reflets fugitifs, charriant (et un cavalier apparut, non pas chevauchant, se frayant un passage, mais faisant pour ainsi dire surface, comme un bouchon : un moment il fut visible, dérivant lentement au-dessus du tumulte au gré des remous comme si le tout, homme, armure, cheval (comme une statue équestre, comme ces saints ou ces groupes portés sur les épaules dans les processions), surnageait au-dessus de l'obscure marée, oscillant, ballotté, tiré en avant, en arrière, puis de nouveau entraîné, et, à la fin, sombrant, un bras levé, tendant vers le ciel dans un suprême geste d'orgueil ou de vaillance une arme dérisoire, visible encore quelques instants et finalement disparaissant, englouti, absorbé,

114

digéré, rejeté sans doute lui aussi plus tard pêle-mêle avec les cadavres des chevaux morts — ou peut-être seulement le gantelet, un brassard, préalablement vidés de ce qui les remplissait, comme ces carapaces de crustacés sucés et nettoyés par quelque bête à ventouses dévorante et consciencieuse) oriflammes et bannières, s'engouffrant en rebondissant dans l'étroite vallée entre les collines sur les pentes desquelles on peut voir, comme des éclaboussures, de petites silhouettes s'égaillant, pénétrant dans le sous-bois *peu à peu le bruit de la bataille décrut s'assourdit puis cessa tout à fait comme si l'épaisse futaie l'absorbait l'étouffait tout était silencieux les troncs verticaux des grands arbres hachaient l'espace vert dans l'ombre épaisse il y avait encore de la rosée je foulais des petites plantes aux formes découpées comme de minuscules feuilles d'acanthe de minuscules fougères bientôt le cuir de mes chaussures fut tout mouillé détrempé j'entendis chanter un oiseau on aurait dit qu'on pouvait entendre la forêt respirer le bruit d'une goutte de rosée glissant sur une herbe la silencieuse montée de la sève sous l'écorce dans ma poitrine le bruit de mon souffle s'apaisait le soleil était déjà haut je me demandais quelle heure il pouvait être le verre de ma montre était brisé il ne restait plus qu'une aiguille la petite arrêtée un peu après huit heures sans doute quand j'avais été jeté par terre ou peut-être la coquille du sabre au moment où mais qu'est-ce que ça pouvait faire la montre l'heure le matin le soir Josué plus tard de nouveau je me demandai alors arrêter de se demander je ne pouvais*

115

même plus me rappeler depuis quand ça avait commencé depuis quand nous avancions sur cette route bordée de morts de blessés des siècles peut-être sable sous les paupières

Le soleil aveuglant immobilisé aurait-on dit, comme s'il était lui-même fatigué d'éclairer, la lumière brûlant les yeux, les paupières, salie, jaunie, devenue poussiéreuse depuis le temps *je ne savais pas que la guerre était si sale* et moi non plus étranger, spectateur regardant les élégants et barbares condottieri aux armures d'azur, entendant le bruit creux des planches du théâtre sous les sabots des palefrois ingénieusement disposés dans diverses postures, couchés sur le flanc parmi les débris de lances ingénieusement disposés, ou ruant, mais maintenant au centre même de ce maelström : l'espace, l'air lui-même tourbillonnant, furieux, la lumière, l'obscurité tourbillonnant *je ne savais pas* main dans le soleil avec ses tendons son lacis de veines sculptés en relief sortant d'un amas confus chevelure dénouée mais pas de tête une tête mais pas le corps barbue la bouche entrouverte les yeux pas complètement fermés laissant voir entre les paupières une ligne bleuâtre au milieu de linges sales de journaux déchirés le cheval galopant sur place oscillant d'avant en arrière sans avancer empêtré dans les corps l'amoncellement *l'un en maillot rose renversé sur le dos dans la poussière les quatre fers en l'air c'est-à-dire un de ses bras à demi replié* caché par le bouclier dont il cherche à se protéger (le centre du bouclier garni d'une courte pointe dont l'ombre s'allonge, déme-

116

surée, sur la surface légèrement bombée, comme sur un cadran solaire, s'étirant jusqu'au bord ce qui semble indiquer — le bouclier est incliné à un peu moins de quarante-cinq degrés — que l'après-midi va bientôt toucher à sa fin, le soleil arrêté dans cette phase de son déclin où le jour s'attarde, se traîne, n'en finissant plus, s'éternisant) s'efforçant avec sa main droite de repousser le visage de son adversaire les jambes à demi repliées elles aussi un peu écartées l'un des tibias à l'horizontale, son adversaire penché sur lui vêtu d'un maillot verdâtre collé par la sueur aux muscles de son buste ses abdominaux saillants l'élastique de sa culotte rouge sombre rompu peut-être car elle n'est plus retenue que par les hanches la ceinture au-dessous du ventre, les tourbillons d'air épais immobilisés en même temps que le soleil, la lumière, les corps nus, la sueur, le ciel d'orage, les armures, de la même matière opaque, solidifiée, étalée par le pinceau *l'effet de brillant sur le métal du casque obtenu par une touche empâtée d'un jaune blanc elle-même au centre d'un reflet moins éclatant gris encadré par deux noirs profonds la courbure extérieure du casque derrière la tête retroussée sur le couvre-nuque s'éclairant d'une teinte orange* et tournoyant sans fin entre les solennelles dorures des cadres et moi au centre *flanc rouge acajou l'ardillon de la boucle de cuivre me déchira la paume je ne souffrais pas poils collés par la sueur sombres joue contre l'odeur acide reflet mauve puis mordoré courant sur l'encolure plissée l'herbe poudrée grisâtre du talus la coquille du sabre heurta mon casque fracas*

117

éclatant dans ma tête cloche emplie par le furieux désor-
dre Achille immobile Le guerrier nu à gauche s'élançant
enjambant les corps Le bras droit légèrement en arrière
tenant son épée horizontale la main gauche levée saisis-
sant le mors du cheval blanc une draperie accrochée à
son épaule flottant derrière lui est emprunté à une com-
position de Polidoro da Caravaggio, le tapage figé à ce
niveau paroxysmique où il se détruit lui-même, immobilisé lui aussi dans le silence *arraché de son cheval*
comme si une invisible main de géant l'avait saisi par
le col de sa tunique et tiré le tenant là planant sur l'air
suspendu au-dessus de moi comme une ombre jaune
soufre les jambes encore écartées chevauchant une mon-
ture absente les genoux à demi pliés les bras à demi
pliés étendus en avant de lui les mains ouvertes pour
se recevoir un peu comme une grenouille au milieu d'un
saut sa bouche grande ouverte sur un cri mais pas de son
les traits déformés tordus par la terreur l'étonnement
l'air ahuri stupide passant jaune puis noir puis de nouveau le soleil jaune toujours immobile arrêté plus d'heure
pas le matin pas le soir le temps arrêté pas hier pas
l'année dernière il y a dix ans aujourd'hui :

maintenant il tombe ; comme le laissait prévoir sa
position précédente une de ses mains projetée en avant
de lui touche déjà la poussière, son autre bras (soit que
la main ait rencontré un obstacle — un corps tombé
avant lui —, soit qu'il ait été désarticulé par le choc
qui l'a arraché à son cheval) replié dans une position
bizarre autour de la tête qui, à présent, dans cette ultime

118

fraction de seconde avant de heurter le sol (son buste
à ce moment non plus planant, horizontal, mais oblique,
comme s'il avait tout entier basculé, ses fesses et ses
jambes au-dessus de lui), est tournée vers l'arrière, comme
s'il cherchait à voir par-dessus son épaule l'ennemi qui
l'a frappé

les javelines fendant l'air, bruissant, minces, s'entrecroisant

le cheval essaie de se relever, se débattant, tordant
son encolure en arrière comme pour voir lui aussi ce
qui l'écrase, l'une de ses jambes de devant dessinant
un V renversé, le coude touchant terre, le genou en haut,
le sabot replié frappant convulsivement la terre

maintenant il gît sur le sol ; son corps a basculé sur
le côté et l'on peut voir le bois cassé d'une flèche sortant de son dos, comme un gros clou

maintenant elle peut le voir au-dessus d'elle montagne
de viande blanche avec sa peau laiteuse semée de taches
de rousseur ses poils roux dessinant une ligne broussailleuse qui divise son ventre en deux comme s'il planait
gigantesque le buste horizontal les jambes à demi repliées
et légèrement écartées ses couilles pendantes son membre
raidi tendu presque plaqué contre son ventre les bras
à demi repliés en avant au-dessous de lui

Peintre de bacchanales aussi *le massacre aussi bien
que l'amour est un prétexte à glorifier la forme dont la
splendeur calme apparaît seulement à ceux qui ont pénétré l'indifférence de la nature devant le massacre et
l'amour* maintenant je pouvais les entendre passer tout

près sifflant ou plutôt corde de guitare pincée vibrant parfois des claquements secs

un géant barbu élève à deux mains au-dessus de sa tête un quartier de roche (peut-être pour l'achever ?) les muscles de ses bras gonflés

dominant le champ de bataille le parcourant lentement du regard de gauche à droite la rivière la plaine brun violacé les collines pierreuses le général se tient debout peut-être sur cette pierre teintée de rose parsemée des taches des lichens gris-vert ou vert-noir ses pieds chaussés de sandales dont les lanières s'entrecroisent jusqu'au-dessus des chevilles le corps revêtu d'une armure de bronze dont le modelé reproduit celui des muscles du torse pectoraux et abdominaux au-dessous desquels pend une courte jupe faite de lanières de cuir la jambe droite et le bras droit légèrement en arrière le bras gauche élevant dans son poing fermé un pan du grand manteau pourpre retenu sur son épaule droite par une agrafe d'or la tête chauve aux joues plates tannées par le soleil semblables à du cuir *il donna lui-même le signal en déployant selon l'usage un drapeau rouge au-dessus de sa tente*

montagne de viande blanche hijo de puta

maintenant il s'élance et presque aussitôt il reçoit dans la bouche un coup de glaive dont la pointe ressort par la nuque *non pas la mort mais le sentiment de ta mort* je ne savais pas encore

se courbant sa broussaille de poils jaunes frottant le bout de ses seins elle arquée son corps reposant seulement sur ses épaules et la plante abricot de ses pieds à plat

sur le lit les reins soulevés les jambes dans la position
de celles de ces acrobates faisant le pont

à présent le court morceau de flèche ou de javeline
brisée qui sort de son dos projette une ombre qui s'étire
traverse en diagonale l'omoplate s'allonge encore rejoint
la zone obscure où disparaissent sa tête et ses bras la
lumière rasante indiquant qu'il est tard dans l'après-midi
se traînant n'en finissant plus le soleil

la cavalerie est repoussée les archers et les frondeurs
sont taillés en pièce

maintenant elle entoure ses épaules de ses bras

dans la confusion des voix crièrent A cheval Avec un
bruit d'air froissé le pigeon passa devant le soleil ailes
déployées Jaune puis forme d'arbalète noire puis jaune
de nouveau aveuglant sable sous les paupières

un de mes bras passé sous ses épaules l'autre la tenant
par-dessous elle ruisselait entre ses fesses mon doigt glissait dans

maintenant deux petites filles douze treize ans environ
sortent du métro vêtues de robes semblables jumelles
sans doute en jersey rouge avec en bas trois bandes vert
clair chaque fois plus larges la jupe se terminant par la
dernière elles portent des bas blancs à motifs de dentelles elles tournent à gauche seules leurs coiffures diffè-
rent l'une laisse flotter ses cheveux couleur cuivre sur
ses épaules l'autre

sa respiration devient plus rapide elle dit des mots
sans suite entrecoupés puis elle

de tous côtés on voit des poings levés fermés sur des

lances des javelines des casse-tête les poignées des épées les bras levés muscles contractés noueux dans le geste de frapper ou de lancer la lumière est d'une couleur soufre sans doute à cause de la poussière soulevée en suspension l'impression d'ensemble dans le contre-jour est rouge terreux par éclairs luisent les éclats cuivrés des casques les jambes et les corps de la plupart des chevaux sont cachés par les combattants à pied qui les entourent et au-dessus desquels jaillissent les encolures recourbées comme celles de ces pièces des jeux d'échecs les draperies soulevées par les mouvements des personnages volent en tous sens claquant s'enroulant autour de leurs corps tourbillonnant

maintenant elle ne fait plus que crier mais je ne l'entends pas crier presque tous ont la bouche ouverte sans doute crient-ils aussi les uns de douleur les autres pour s'exciter au combat le tumulte est à ce point où l'on n'entend plus rien

CESAR

Me rappelant cette arrivée, un soir dans un hôtel de Lourdes : le garçon qui avait porté les valises jusqu'à notre chambre se tenant debout dans l'encadrement de la porte les bras le long du corps, grand-mère, après un échange de mots chuchotés avec maman, étant passée

dans le cabinet de toilette et là, sans refermer la porte
(la disposition des pièces étant telle que, si je pouvais
toujours la voir, elle se trouvait hors de la vue du bagagiste), déboutonnant son corsage (c'est-à-dire pas le col
— un de ces cols que l'on appelle, je crois « officier » —
maintenu, lui, toujours fermé par un médaillon ovale
cerclé d'or où l'on distinguait dans une grisaille relevée
de touches roses un visage de femme), corsage dont le
modèle (invariablement ce col officier et, sur sa poitrine,
une série de plis plats, parallèles dans le sens de la hauteur) comme la couleur (noire, sauf, parfois, au plus fort
de l'été, lorsqu'elle se rendait à la plage et s'asseyait pour
nous surveiller dans son fauteuil pliant : d'un gris puce
alors) semblaient avoir été adoptés par elle une fois pour
toutes, le tissu seul — une serge unie ou ces soies moi-
rées qui brillaient doucement aux lumières les soirs de
dîners ou de musique — variant selon les circonstances,
défaisant donc de ses mains malhabiles, trop pressées,
trois ou quatre boutons au-dessous de l'inamovible
médaillon et extirpant alors une chaînette où étaient
accrochés avec quelques médailles une croix d'or et ce
cœur à peu près de la grosseur d'une noisette, également
en or et serti de rubis, dont l'image, après des années
d'oubli, devait ressurgir à la surface de ma mémoire
tandis que je courais — ou plutôt me traînais — hors
de souffle sur une voie de chemin de fer entre Dinan et
Charleroi, la sensation de mes viscères remontant, m'obstruant la gorge, la brûlure de mes vaisseaux dilatés, en
même temps que la probable imminence de ma mort, me

suggérant sans doute la vision rougeoyante des rubis et de ce bijou indissolublement lié au souvenir de la vieille femme (dont l'aspect physique, les vêtements et la fragilité avaient été si longtemps associés pour moi à l'idée même de cadavre et de mort) tirant de son sein, embrouillé avec la chaînette, un lacet au bout duquel pendait un petit sac de toile grise dont, dénouant le cordon (ses doigts, de plus en plus maladroits, se dépêchant, gênée par la position du sachet trop haut sur sa poitrine, la tête baissée, les replis de son double menton s'écrasant sur le médaillon) et sortant dans un bruit de papier froissé une liasse de billets pliés en quatre, en détachant un, le tendant à maman qui alla le remettre au bagagiste en le priant d' « aller faire de la monnaie », la notion — ou le concept — d'argent restant longtemps pour moi par la suite étroitement liée à ce dialogue chuchoté, comme honteux, entre grand-mère et maman, en même temps qu'à ce corsage ténébreux entrouvert sur une peau flétrie, blême et molle, ces mains fébriles aux doigts déformés et cette odeur de vieille femme, c'est-à-dire quelque chose d'à la fois un peu dégoûtant, clandestin, pitoyable (le bagagiste malingre, chauve, attendant servilement, debout dans l'encadrement de la porte), et cependant vaguement fabuleux, comme tout ce qui entourait grand-mère ou se rapportait à elle, c'est-à-dire non seulement ce que nous pouvions toucher et voir (son visage flasque, le décor de sa chambre, l'odeur de son eau de toilette, ses éternels vêtements sombres), mais encore, par exemple, ces photographies la représentant

124

jeune fille ou jeune mariée et qui montraient d'elle une image à laquelle les robes, les coiffures démodées (robes et coiffures auxquelles elle était restée fidèle — les robes seulement de plus en plus sombres, le chignon de moins en moins fourni) conféraient déjà (outre la mauvaise qualité des photos, les poses solennelles et contraintes) ce caractère de personnage d'un autre monde, vaguement irréel, vaguement mythique, invariable, solennel, impotent et royal, encore confirmé par les égards que maman et oncle Charles lui témoignaient, son impotence, son extrême fragilité (puisqu'il fallait lui éviter toute fatigue, porter son fauteuil sur la plage, son ombrelle, aller chercher ses lunettes) la nimbant encore paradoxalement d'une aura de puissance et de majesté, de sorte que ces papiers craquants et sales sortis de son corsage (cette poitrine que j'entrevoyais pour la première fois, découvrant que sous les mystérieuses soies noires se trouvaient une peau, des chairs dont la mollesse, l'extrême blancheur, accentuaient encore l'irréalité, le caractère sacré de choses destinées à rester cachées et sur lesquelles — de même que l'hostie au moment de l'élévation — on ne doit pas porter les yeux) m'apparurent comme l'émanation même d'un monde sinon extra-terrestre (puisque je respirais le même air qu'elle, me tenais debout sur le plancher de la même chambre, pouvais même la toucher) du moins de puissances obscures, mal définies, à la fois — comme grand-mère — sacrées, un peu répugnantes, et détentrices d'un pouvoir occulte que symbolisaient ces papiers sales aux couleurs grisâtres ou terreuses, fripés, exhalant une indéfinissable odeur de sûr, de renfermé, et que, plus tard, je devais voir chaque samedi, rangés en petites piles sur le bureau d'oncle Charles, destinés à ces fantômes eux-mêmes grisâtres et terreux appuyés silencieusement contre le mur dans la pénombre du corridor, semblables à ces momies que les archéologues alignent pour les photographier le long des parois des tombeaux ; le lieu même (Lourdes) où cette découverte (révélation) venait de se faire (avec tout ce qu'il a de propre à impressionner une nature d'enfant, non seulement par l'étalage de difformités et de corps exsangues roulés sur des brancards ou dans des petites voitures à l'aspect désuet et funèbre, mais encore par ce décorum barbare, ces évêques vêtus d'or, ces incantations, ces processions nocturnes, ces chants, ces voix chevrotantes de prélats, ces foules accourues des confins du monde), ce lieu, donc, faisant lui-même partie d'un univers très loin au-delà des réalités familières et où semblaient régner, despotiques et effrayants comme les monstres des baraques foraines, des bébés hydrocéphales, des bossus et des vieillards, inséparables de cet arrière-fond sanglant et omniprésent hérissé de clous, d'épines, de lances et surveillé par ces centurions coulés dans le bronze en des groupes noirs répartis çà et là sur les flancs de la colline que gravissait, serpentant sous le brûlant soleil parmi les chants d'oiseaux et les palpitations des feuillages, le long escalier du calvaire où cheminaient autour du supplicié (Jésus tombe pour la première fois — Jésus tombe pour la seconde fois) d'impla-

126

cables soldats romains grandeur nature chargés de leurs armures de fonte, de leurs boucliers et de leurs pilums de fonte, foulant de leurs sandales de fonte les prairies pyrénéennes, indifférents aux pâquerettes, aux oiseaux, sombres, coiffés du casque à cimier caractéristique des légions surmontant ou plutôt enserrant ce profil dur que, curieusement, je devais redécouvrir plus tard, tissé en filigrane dans le papier des billets de banque, à l'intérieur de l'un des deux médaillons symétriquement ménagés parmi les colonnes et les volutes décoratives, faisant pendant à la tête de Jules César couronné de lauriers apparue à la façon d'un spectre blafard et shakespearien comme le fantôme, le négatif pour ainsi dire, de ce pondérable et sévère personnage qui contemplait le champ de bataille de Pharsale de ses yeux aux prunelles creusées dans le bronze, froid, ambitieux et concis, coulé dans ce métal dont la couleur funèbre évoquait en même temps pour moi l'odeur caractéristique de la peinture dont on enduit dans les collèges les pupitres des écoliers, là, sur cette colline pierreuse de Thessalie, comme l'émanation paradoxale et anachronique d'un passé d'où remontaient par bouffées les effluves crasseux des billets de banque mêlés aux fades parfums qu'emploient les vieilles dames et aux relents d'encens sur un fond sonore de litanies, de supplications, et les obsédants grincements des petites voitures d'invalides.

LA BATAILLE DE PHARSALE

CONVERSATION

Elle dit Vous l'aimez comment je ne me rappelle plus dites-moi un sucre deux ? Il dit merci Il regarde le rideau qui bouge encore une de ces tapisseries aux couleurs passées avec des bleus et des verts grisâtres un décor de feuillages de hérons peut-être comme on en voit chez les brocanteurs en plein air même pas à vendre tellement elles sont usées mais utilisées en guise de bâches pour recouvrir leur marchandise quand ils l'entassent le soir avec un poids de dix kilos aux quatre coins pour empêcher le vent de les soulever et ici coulissant sur une tringle et si raide de poussière ou de crasse que le balancement cesse aussitôt et qu'il s'immobilise mal joint de sorte que par l'ouverture un mince triangle on aperçoit un coin de réchaud à gaz émaillé d'un blanc bleuâtre supporté par une caisse de la vaisselle empilée la casserole qui a servi à faire bouillir l'eau du café encore posée sur l'un des foyers du réchaud Il dit Pardon excusez-moi Elle repète Il vous avait dit qu'il serait là ? C'est une femme sans âge qui peut avoir aussi bien trente que quarante ans ses cheveux noirs coiffés à la Jeanne d'Arc une frange sur le front un menton légèrement en galoche un visage taillé dans du bois sans aucun fard une expression à la fois candide et réfléchie quelque chose tenant à la fois de la cheftaine scoute de la bibliothécaire et de l'ancien mannequin de haute couture Un long collier pend sur son buste revêtu d'un pull-over d'homme il fait entendre un cliquetis chaque fois qu'elle se penche en avant et qu'il pend dans le vide Il dit C'est-à-dire que je croyais Elle a posé le plateau sur un tabouret entre eux deux elle se lève va prendre sur la commode un paquet de gauloises une grosse boîte d'allumettes de cuisine et revient s'asseoir elle a des gestes brusques d'adolescent poussé trop vite Il dit Oh pardon fouille maladroitement dans sa poche sort un paquet de cigarettes et une boîte d'allumettes Elle est déjà en train d'allumer la sienne les paupières baissées tenant sa cigarette d'une manière qui lui amincit encore les lèvres elle rejette une bouffée et tend vers lui l'allumette en le dévisageant il farfouille dans son paquet fiche une cigarette dans sa bouche et se penche en avant fixant la flamme Quand il relève les yeux il s'aperçoit qu'elle le dévisage toujours l'observant elle détourne aussitôt les yeux À travers la cloison ou le plafond parviennent les sons d'une guitare il l'a déjà entendue en montant l'escalier et sur le palier avant de frapper La guitare joue un air syncopé scandé assez rapide fait de variations du même accord sur lequel ou plutôt à travers lequel se détache une dentelle de petites notes aiguës séparées Elle dit c'est notre voisin c'est ce noir qui joue le soir dans Il dit Je sais La guitare s'arrête Il dit je ne voulais pas vous déranger je vous demande Elle dit Mais vous ne me dérangez pas au contraire Elle tient ses paupières baissées elle est elle-même assise sur un tabouret quoiqu'il y ait deux fauteuils inoccupés l'un d'un style rustique au siège de paille l'autre un de ces fauteuils appelés

129

transatlantiques à la toile rayée de couleurs vives dans les orange rouges jaunes et verts Elle a croisé les jambes elle porte des chaussures à talons plats Quand elle ne la porte pas à sa bouche sa main qui tient la cigarette repose sur son genou A côté la guitare reprend encore une fois le même air De nouveau il dit Pardon ? puis comme si le son de la voix de la femme avait mis très longtemps à lui parvenir ou comme si les mots principaux (votre femme... ?) étaient restés suspendus dans l'air attendant il dit précipitamment très bien merci très bien elle Puis il s'aperçoit que de nouveau elle l'observe et aussitôt rabaisse ses paupières Penchée en avant sur son tabouret (elle a maintenant décroisé les jambes) elle boit son café à petites gorgées Par-dessus le bord de la tasse (ce n'est pas une tasse à café mais à thé assez grande qui quand elle boit cache son menton sa bouche et la plus grande partie de son nez) les yeux l'observent les paupières se rabattent très vite Sa tasse à lui (une tasse à thé aussi) ne fait pas partie du même service que celle de la femme où l'on voit des dessins roses de style japonais (fleurs de pêchers ?) sur un fond blanc Les soucoupes ne sont pas non plus assorties aux tasses Malgré les deux sucres le café a un goût âcre de chicorée Elle dit Son marchand l'a invité à déjeuner vous le connaissez c'est ce monsieur très grand chauve avec les oreilles décollées et qui porte toujours un col dur vous l'avez vu vous vous rappelez il était ici le jour où Il dit oui Derrière les sons de la guitare on peut entendre chantonner la voix du nègre à la fois basse et nasillarde chan-

tant comme à côté de la mélodie que décrivent les petites
notes hautes isolées les deux chants les lentes inflexions
de la voix et la trépidation rapide des cordes pincées
se combinant puis de nouveau tout s'interrompt brusquement Il entend le bruit d'une cuillère dans une soucoupe elle soulève la cafetière et dit vous en voulez une
autre tasse il y en a assez vous savez et quoiqu'il soit
certain de n'avoir rien demandé elle dit à la suite Non
je ne crois pas qu'il rentre avant ce soir tard il a dit qu'il
ne travaillerait pas aujourd'hui il a prévenu la petite
il ne vous l'a pas dit ? Comme elle tient toujours la
cafetière en l'air en le regardant interrogativement sans
que l'on puisse savoir si la réponse qu'elle attend con-
cerne l'offre de la seconde tasse ou la question qu'elle
a posée il tend machinalement sa tasse qu'elle remplit
Elle cesse de le regarder Sur la table à modèle il peut
voir la couverture tunisienne à rayures vertes blanches
orange et noires Aucun des deux chevalets (l'un à mon-
tants verticaux comme une guillotine l'autre de forme
triangulaire incliné sur sa béquille) ne supporte de toile
un troisième chevalet sa béquille rabattue est appuyé au
mur dans un coin où sont également appuyées des toiles
de différentes grandeurs retournées montrant leur châssis
de bois clair en croix Ainsi l'atelier a un aspect mort
poussiéreux triste abandonné On entend de nouveau
la guitare C'est toujours le même air scandé sur un
rythme toutefois plus lent maintenant comme quelqu'un
qui travaille un morceau attentif à la bonne position de
ses doigts Le nègre ne chante pas La guitare doit être

branchée sur un amplificateur électrique car les vibra-
tions de ses cordes ont dans les aigus une résonance
stridente lancinante pas désagréable mais comme une
voix de soprano très haute tendue inhumaine comme
certaines voix d'enfants quelque chose d'à la fois limpide
et à la limite de la tension de la rupture énervant La
surface du café dans la tasse dégage une légère fumée
la chute des morceaux de sucre a fait monter de petites
bulles qui s'agglutinent en une mousse beige le long de
la paroi concave Il l'entend dire Chez vous dans le Midi ?
quoiqu'il n'ait enregistré que ces mots il dit Oui bientôt
je ne sais pas oui probablement A l'aide d'une allumette
sortie de nouveau de la grosse boîte de cuisine elle est
en train d'allumer une autre cigarette elle ne le regarde
pas elle jette l'allumette dans le cendrier et son buste
revient en position verticale tandis qu'elle époussette
quelque chose sur sa jupe elle dit Nous retournons au
Maroc ça lui a tellement plu Par le grand vitrage on
peut voir le ciel de juin des nuages passent lentement
très blancs gonflés dans le bleu Il cherche à voir ses
yeux mais maintenant elle tient constamment ses paupières baissées elle a une curieuse façon de pincer les
lèvres entre les paroles en se séparant elles font entendre
un léger bruit sec à peine audible ttt... ttt... ttt... La guitare joue toujours On peut voir aussi des toits de zinc
bleutés avec leurs rangées de cheminées comme de petits
pots de fleurs renversés rose brique ou ocre et un dôme
Des pastilles de couleurs constellent le plancher gris de
l'atelier plus serrées autour des pieds des chevalets

comme des confetti ou des pains à cacheter vert pastel
bleu rouge brun crème Un pigeon traverse à tire-d'ailes
en ligne droite tout l'espace du vitrage de droite à gauche
en diagonale La guitare s'est tue on n'entend plus rien
Il dit je vais vous laisser je ne veux pas le café était très
bon Elle dit il n'est pas tard peut-être qu'il rentrera plus
tôt que Il m'a dit qu'il devait passer chez son marchand
de couleurs mais peut-être qu'il Si vous voulez l'attendre ? Il dit non je crois que je vais je dois aussi Elle dit
peut-être qu'il ne va pas tarder Elle le regarde puis aussitôt abaisse les paupières son collier fait un bruit creux
d'ossements puis elle commence à lui raconter l'histoire
d'une fille d'un de leurs amis qui est tombée malade au
moment de se présenter au concours du Conservatoire
ça dure un moment A la fin toujours parlant elle lui tend
le paquet de gauloises dont elle a sorti à demi une des
cigarettes et comme il fait un geste de refus elle insiste
en agitant une ou deux fois de haut en bas la main qui
tient le paquet à chaque fois la cigarette sort un peu plus
Maintenant elle le regarde carrément elle dit prenez
servez-vous la cigarette presque tout entière au-dehors
s'incline vers le plancher il la prend elle en prend une
elle-même il lui présente une allumette puis allume la
sienne elle se tourne pour voir ce qu'il regarde derrière
elle elle regarde aussi la table à modèle quand elle tourne
de nouveau son visage vers lui elle a les paupières baissées puis elle les relève le regarde une fraction de seconde
les rabaisse de nouveau elle dit Nous y resterons deux
ou trois mois peut-être plus peut-être jusqu'à la fin de

l'année De nouveau sa bouche fait entendre ce léger son presque inaudible ttt ttt Il fera probablement une exposition au mois de janvier prochain ttt elle le regarde rapidement baisse ses paupières Il dit il faut que je m'en aille je n'étais venu que pour Elle dit il sera désolé Elle parle un peu trop vite sans le regarder elle dit je dois sortir je vais de votre côté il faut que j'aille si vous voulez attendre une minute nous descendrons ensemble Il est debout Il se rappelle que quelques instants avant il a entendu de nouveau la guitare mais maintenant tout est silencieux Derrière le rideau on entend goutter un robinet sur l'évier Il dit je ne rentre pas chez moi Elle dit je n'en ai que pour une minute je descends avec vous Elle se lève prend le plateau et passe derrière le rideau Il dit plus fort comme si l'obstacle du rideau constituait une barrière solide Ecoutez je m'excuse mais il faut que je parte de toute façon nous n'allons pas dans la même direction Elle apparaît dans l'encadrement des rideaux Elle dit Vraiment ? il sera navré peut-être va-t-il rentrer d'un instant à l'autre Si vous voulez l'attendre ici moi je dois sortir mais installez-vous il y a des livres si vous voulez jouer des disques vous savez comment ça fonctionne Il dit merci mais Elle dit il sera navré je suis sûre que ça lui ferait plaisir de vous trouver là Il dit je repasserai Elle dit vous ne voulez vraiment pas l'attendre installez-vous comme chez vous Il dit ce n'est pas possible merci merci pour votre café il était délicieux Elle est toujours dans l'écartement des rideaux il lui prend la main elle ne serre pas la sienne Elle dit c'est dommage peut-être qu'il va rentrer à peine vous serez parti Il secoue deux fois sa main qu'elle tient en avant plate inanimée comme une planchette de bois il dit merci à bientôt elle dit alors à bientôt j'espère.

GUERRIER

Et ceci : nu vaguement phosphorescent, bleuâtre dans la demi-obscurité de la chambrée seulement éclairée par la veilleuse et la lueur qui provenait du couloir, avec cette sorte de broussaille, ce buisson de flammes sombres, désordonnées, marron-roux, au centre du corps gigantesque et pâle qui vacillait, mal assuré, déséquilibré par les moulinets du sabre qu'il faisait tournoyer à bout de bras au-dessus de sa tête, proférant d'obscures menaces, et nous muets, raides, sans oser le moindre mouvement, immobiles comme des morts dans nos lits étroits où, sur les traversins, bougeaient seules vingt-cinq paires d'yeux le suivant (comme dans les tribunes des courts de tennis les têtes des spectateurs pivotant toutes ensemble vers la droite, puis vers la gauche, puis de nouveau...), le regardant aller et venir, arpenter l'allée centrale, osciller, rattraper de justesse son équilibre d'un coup de reins, la plante de ses pieds nus, semblait-il, adhérant au ciment comme des ventouses, comme si son centre de gravité était situé non pas quelque part au milieu de

135

son corps mais (de même que chez ces jouets lestés à leur base d'une contrepoids de plomb et impossibles à renverser quelle que soit la poussée que l'on exerce sur eux) à la base, exécutant de rapides demi-tours pour faire face à quelque adversaire invisible qui aurait tenté de l'approcher par derrière, avec une vivacité de mouvements que sa silhouette titubante et sa voix avinée n'auraient pas permis de prévoir, fantôme gesticulant pourchassant, menaçant et maudissant quelque ennemi acharné à sa perte, comme une sorte de double attaché à lui et que sans doute il rendait responsable de l'avoir conduit devant les conseils de guerre (appelés en argot militaire de ce mot évocateur, « falot », qui fait surgir, dans la lueur de la lanterne tenue à bout de bras par un sous-officier ou posée à ses pieds, l'image blafarde et flageolante du condamné que l'on s'apprête à fusiller) appuyé par une mystérieuse conjuration de forces ou de personnes l'envoyant de prisons en prisons jusqu'à cette compagnie disciplinaire quelque part dans le Sud algérien ou tunisien où il avait passé deux ans et dont il parlait avec une sorte de nostalgie faite de fureur vengeresse, d'orgueil et d'un émerveillement pour ainsi dire exotique : un lieu (pas un pays : un lieu, quelque chose apparemment ignoré des cartes géographiques), à l'entendre, vaguement fabuleux, à la limite de l'horreur et du féérique, et dans la description duquel se mêlaient les évocations de bousbirs peuplés de putains des Mille et Une Nuits, d'interminables marches sans boire dans les sables et de punitions, de supplices barbares dont l'un appelé « le cercueil » consistait, pour la victime, à rester allongée une journée entière dans un étroit fossé sous le terrible soleil saharien, recouvert seulement jusqu'au cou d'une toile de tente ; ses petits yeux trop bleus de Malouin, durs et fixes comme des morceaux de verre se durcissant encore lorsqu'il racontait ces souvenirs aux jeunes paysans de la chambrée, le regard à l'expression traquée empreint d'une conviction obtuse, furibonde, comme un défi permanent qui semblait adressé aussi bien à nous-mêmes qu'aux gradés et au monde entier, une permanente panique où le sentiment des injustices et des outrages subis engendrait, moins sans doute que la fureur vengeresse qu'il affichait, l'obsession lancinante de sa vulnérabilité et de cette nuée d'ennemis sans visages contre lesquels luttait en ce moment la blême et gigantesque nudité, gesticulant, le grand corps (avec cette chose bistre, ce tuyau semblable à quelque viscère flétri, froissé, quelque boyau intérieur mis à nu, pendant de l'obscure flambée qui s'étalait au bas du ventre) comme une dérisoire parodie, une dérisoire réplique de tous les Persée, les Goliath, les Léonidas, la cohorte des guerriers figés dans les bitumeuses peintures des musées parmi le cliquetis des armes entrechoquées, témérairement nus ou équipés, comme les gladiateurs, d'armures disparates ou burlesques (à la manière des personnages de ces groupes bouffons que les soldats s'amusent à composer, les soirs de beuveries, pour les traditionnelles photos-souvenirs, posant seulement vêtus de leurs cartouchières et de leurs casques, alignés comme pour une revue et présentant leurs armes — ce qui, pour un ou deux farceurs, consiste à brandir en direction de l'objectif leur pénis raidi), héros surgis des profondeurs ombreuses des légendes ou de l'Histoire, la tête surmontée d'un cimier étincelant, portant pour tout vêtement des jambières d'airain, leurs corps glabres, trop roses, aux musculatures académiques, ceints d'un baudrier, et lui, répudiant encore jambières et casque, seulement armé contre ses invisibles persécuteurs de ce pesant sabre de cavalerie que nous regardions étinceler dans la pénombre tournoyant au bout de son bras, l'autre main traînant le fourreau dont il l'avait tiré un peu plus tôt, lorsqu'il avait couru s'emparer de l'arme au râtelier, dans un froissement métallique et glacial qui m'avait rappelé l'espèce de frisson éprouvé, enfant, au même bruit entendu pour la première fois, au cirque, tandis que le prestidigitateur coiffé d'un turban hindou dégainait l'un après l'autre les sabres dont il perçait ensuite la caisse couleur de sang où avait été enfermée par deux esclaves noirs l'odalisque ressortant un peu plus tard miraculeusement intacte, bondissante et auréolée par les projecteurs d'un poudroiement lumineux où les strass et les faux diamants jetaient des feux glacés, irisés, à travers lesquels apparaissait son corps à demi nu, tiède, fait, semblait-il, d'une matière irréelle qui si on l'avait touchée n'aurait sans doute laissé sur les doigts qu'un peu de poussière, comme ces pigments colorés des ailes des papillons, et dont cependant la vision (c'était aussi la première fois que je voyais une femme aussi nue) m'emplit alors d'un trouble qu'exprime assez bien le

138

mot libidineux avec sa consonance un peu rose, un peu
molle, plissée pour ainsi dire par la répétition des mêmes
syllabes et de sons évocateurs (lit, bite, nœud), émotion
rose et caoutchouteuse que je devais retrouver plus tard
à la vue de ces poupées vendues pendant l'entracte dans
le promenoir d'un music-hall, faites d'une gomme élastique, spongieuse, et se tortillant, ondulant (seins et
croupe) sous les doigts du démonstrateur (liliputiennes,
crapuleuses et commerciales réincarnations de Vénus
sous forme de petites femmes frisottées moulées par
bataillons et étiquetées, comme les tours Eiffel, selon
grandeur), et plus tard encore (ce même trouble, ce même
émoi un peu honteux, tant par la conscience d'un interdit
transgressé que par l'aspect presque surnaturel et, pour-
rait-on dire, mythologique, de ces combats) au spectacle
des corps trop musclés ou trop gras de catcheurs appa-
reillés dans des accouplements vaguement obscènes sous
le ruissellement d'une lumière qui semblait là encore
composée de particules visibles, une sorte d'implacable
grésil s'abattant sur eux, éclaboussant leur chair dont
(dans les moments de répit où, l'un ou l'autre tenu par
une clef, ils s'immobilisaient) l'on pouvait voir les replis
s'abaisser et se soulever de même que les flancs nus et
poudrés de la figurante jaillie de la caisse aux sabres et
qui palpitaient doucement, comme si quelque chose d'obstiné et délicat, malmené par les coups ou les lames d'acier,
poursuivait à l'abri des regards une vie secrète, invio-
lable, indifférente aux applaudissements, aux clameurs
ou au froid, que ce fût sous l'indécente lumière des pro-

jecteurs qui tombait des cintres du chapiteau, s'accumulait en cristaux de neige sur le carré du ring où scintillaient les paillettes de résine, ou encore dans l'avare lueur de la veilleuse éclairant la chambrée au milieu de laquelle ce Goliath ou plutôt cet Orion titubait en aveugle sur les monumentales assises de ses pieds rougis par le froid glacial du ciment, révélant par instants leur plante grise de poussière, plissée et flétrie de même que son visage précocement usé, rougeâtre, séparé des épaules par une ligne nette comme si sa tête avait été promise à un inéluctable Deibler, faisant penser à ces irrécupérables arborant avec orgueil un pointillé tatoué autour de leur cou : un masque, quelque chose qui n'aurait pas été fait de la même matière que la peau, comme si, ridé, sanglant et outragé, on l'avait posé par inadvertance ou par dérision sur le corps d'un autre, comme si la décrépitude, la mort s'attaquaient à l'homme par ses extrémités (tête, mains, pieds) à partir desquelles, alors que le reste du corps demeure encore intact, elles l'envahiraient sournoisement (à la façon de l'encre qui gagne à partir d'un coin de buvard), corrodant d'abord ce qu'il a de plus précieux, c'est-à-dire ce par quoi il pense, se meut ou saisit ; et à un moment, comme il tournait le dos, un de ceux qui couchaient près du couloir bondit de son lit, en chemise, jambes nues, franchit la porte par laquelle il s'élança lui aussi à sa suite, le sabre levé, les claquements des pieds nus se poursuivant dans le couloir, et sans doute, trop ivre, dut-il tomber, car il y eut un bruit de chute, un juron, le fracas métallique du sabre sur le

ciment, et il réapparut, tout un côté du corps poussiéreux et râpé, grommelant et gesticulant, puis, le sabre
toujours à la main, allant jusqu'à la lourde table que,
sans lâcher son arme, il entreprit de pousser en ahanant
jusqu'à la porte contre laquelle, la soulevant par une
de ses extrémités, il l'appuya en étai, se retournant de
temps à autre (avec toujours cette imprévisible, soup-
çonneuse et foudroyante rapidité), le sabre levé, prêt à
frapper cet imaginaire ennemi contre lequel il avait maintenant à lutter sur deux fronts : d'un côté la porte ou
plutôt le couloir par lequel il savait qu'allait arriver le
sous-officier de garde qui l'amènerait dans une des cellules de la prison, et, de l'autre, la chambrée silencieuse
aux deux rangées de lits où des yeux silencieux, ironiques,
peureux et cruels l'épiaient, aux aguets, comme une
espèce de rire inaudible, insupportable et froid ; puis,
en même temps que nous les entendîmes (un piétinement
de souliers cloutés, armes et aciers entrechoqués : non
pas des hommes, mais plusieurs de ces crustacés cara-
pacés de buffleteries, de métal et de dureté (pas méchan-
ceté, ni brutalité : simplement dureté, comme la fonte,
le cuir, le bois sont durs) que sont des soldats en armes,
et, quoiqu'ils fussent dans le couloir, de l'autre côté des
fenêtres, exhalant non pas une odeur mais comme le
froid même de l'acier, comme si le froid extérieur dont
ils venaient (on était en février) rayonnait d'eux, à la
façon dont la chaleur rayonne d'un poêle), nous les vîmes,
leurs silhouettes plates, pareilles aux cibles du champ de
tir, multipliées par deux : une fois, grises, opaques, dans

la lumière avare du couloir, et une seconde fois projetées en ombres sur les vitres sales derrière lesquelles ils se bousculaient, s'efforçant de voir à l'intérieur de la chambrée tandis que le maréchal des logis essayait d'ouvrir la porte bloquée par la table contre laquelle il se tenait maintenant adossé, arc-bouté, toujours nu, grelottant et trop blanc, haletant, sa poitrine se soulevant et s'abaissant rapidement, puis, au tintement du verre cassé, il sursauta, assurant son arme dans sa main, appuyé maintenant non plus du dos mais du flanc contre le plateau rugueux de la table, l'épaule gauche effacée, son bras gauche replié en arrière de lui, la main un peu plus haute que sa tête, la paume aplatie sur le bois, les jambes à demi fléchies, la main droite couverte par la coquille de cuivre du sabre à peu près à la hauteur de sa hanche dirigeant la lame vers le carreau cassé par lequel le maréchal des logis lui parlait maintenant, non pas sur un ton de commandement, de sommation, et encore moins de menace mais calmement et, plutôt qu'avec ces inflexions indulgentes d'un adulte qui s'efforce de raisonner un enfant, s'adressant à lui d'égal à égal et même (comme celui auquel il s'adressait comptait sans doute — avec ses multiples conseils de guerre, ses multiples mois de prison ou de bataillon disciplinaire et les multiples régiments qui se l'étaient renvoyé — plus d'années de service que lui-même et plus d'expérience) lui parlant avec cette respectueuse déférence de tout soldat de métier s'adressant à un ancien (auréolé de ce prestige particulier qui ne tient ni au grade ni à la valeur mais à la capacité de souffrance, au temps, au degré d'intimité sans doute auquel la durée permet d'atteindre auprès de ou plutôt dans cette entité aux caractéristiques féminines — à la fois épouse marâtre et mère nourricière : l'armée — qui les avait accueillis tous les deux), employant sans doute une sorte de langage secret, un code pour initiés, la voix (on ne pouvait pas distinguer les paroles qu'elle prononçait — peut-être aucune, du moins relevant du langage articulé : quelque chose, plutôt, comme celui qu'emploient deux amants, ou ces gens qui connaissent le langage des bêtes) unie, posée, empreinte de cette espèce de connivence, de solidarité, s'élevant à la fin (pas criant, ni ordonnant, disant simplement :)

« Allons : ouvre cette porte », le fantôme livide et nu toujours arc-bouté de flanc contre la table ne modifiant pas sa position, la voix cassée, avinée, s'élevant après un intervalle de silence, disant simplement aussi : « Merde », sans crier, comme si le mot, l'injure, faisait aussi partie du cérémonial, de ce jeu de conventions qu'ils observaient tous deux, cérémonial ou rite auquel le géant continuait sans doute à se soumettre en poussant toujours de toutes ses forces (ou du moins dans l'attitude d'un homme qui pousse de toutes ses forces) contre la table tandis qu'elle se redressait lentement sous la poussée contraire des hommes de garde auxquels le maréchal des logis avait maintenant commandé de forcer l'obstacle, le grand corps nu cédant pouce à pouce au fur et à mesure que le battant de la porte relevait la table puis, quand elle fut à la verticale (le battant rencontrant alors les

143

pieds), commençait à la repousser à l'intérieur, le rebord du plateau grinçant sur le ciment, de sorte qu'à ce moment la contre-poussée du géant ne semblait plus avoir pour but que de l'empêcher de basculer et de se renverser sur lui, et enfin, quand l'ouverture fut suffisamment grande pour permettre le passage d'un homme, il bondit, courut jusque derrière le poêle qui occupait à peu près le centre de la travée et se posta là, farouche, ramassé sur lui-même, les jambes écartées et à demi fléchies, les bras écartés aussi, le sabre horizontal, prêt à bondir, le maréchal des logis pénétrant alors dans la chambrée (et toujours pas un homme : quelque chose vraiment comme une sorte de homard, sous ses buffleteries, son casque, engoncé dans son manteau raide, les mains — ou plutôt les pinces — gantées de cuir luisant), marchant directement sur le poêle (pas vite, pas lentement : marchant) et la pointe de la longue lame du sabre dirigée vers son ventre, disant d'une voix égale : « Allons ! », ne se souciant pas plus de la menace proférée (quelque chose comme : « N'approche pas ou je te crève ! ») que de l'acier étincelant, répétant seulement : « Allons, arrête de faire le con... », contournant le poêle, écartant paisiblement du dos de sa main gantée la lame toujours pointée vers lui et qui pivotait lentement au fur et à mesure qu'il se déplaçait, disant : « Allons, donne-moi ça... », sa main gantée s'avançant toujours et, tandis que la gauche (celle du bras au creux duquel reposait la coquille de son propre sabre) saisissait la lame non loin de la garde, détachant de celle-ci la main crispée sur la

poignée après quoi, fauchant aussi au passage le fourreau, il rengaina, continua de marcher jusqu'au râtelier
où il remit le sabre et, se retournant, dit : « Allons :
maintenant habille-toi », puis attendant, les jambes légèrement écartées maintenant, le bras droit pendant le long
de son corps, le bras gauche revenu dans cette position
(collé au corps, l'avant-bras replié en équerre, la coquille
du sabre calée au creux du coude) qui par sa fixité,
l'aspect de prothèse orthopédique de la main gantée (et
peut-être aussi le souvenir des photos de Guillaume II)
semble cacher quelque infirmité et alors (peut-être la
durée d'une seconde, mais pendant laquelle le temps
parut s'arrêter) les deux personnages se tenant face à
face : d'un côté l'espèce de crustacé, raide, indissociable
de sa carapace de cuir et de drap dont la texture rigide,
la couleur kaki le faisaient ressembler dans l'avare lumière
à une statue coulée tout d'une pièce dans le bronze (le
visage encore protégé, dissimulé, derrière une moustache
châtain, luisante, comme du bronze elle aussi, qui cachait
sa bouche) et, de l'autre, le géant maintenant encore plus
nu, c'est-à-dire d'une façon irrémédiable, totale, depuis
que son dernier non pas vêtement mais (comment dire :
même pas une arme puisqu'il n'avait pas le courage de
s'en servir, alors ? : alibi ? justification ? ou simplement :) attribut (comme pour Jupiter la foudre ou pour
Mercure le caducée) lui avait été retiré, dominant pourtant d'une bonne tête la courte silhouette casquée, pas
trapue, ni râblée non plus, mais à laquelle sa petite taille
elle-même (c'était un très bon cavalier qui montait en

145

courses pendant la saison), sa malingre rigidité semblaient conférer comme une sorte d'occulte et dangereux pouvoir, comme ces petits objets inertes, revolvers, capsules de poison, dont (au contraire de la morphologie déclamatoire d'un sabre) la terrifiante puissance semble inversement proportionnelle à leurs dimensions, et, à la fin, la petite moustache de bronze remua, la voix disant simplement : « Allons, tu te dépêches ? », puis il recommença à attendre, patient, inexpressif, tandis que l'autre enfilait machinalement caleçon, chemise et bourgeron, jusqu'à ce qu'il se tînt prêt à partir, regardant à présent devant lui dans le vide, les yeux fixes, vides aussi, avec ce visage ahuri de clown giflé, flétri, rougeaud et sanglant (en tombant dans le couloir sa tête avait dû heurter le ciment et la peau d'une de ses pommettes était arrachée, laissant voir une plaque rouge foncé de la taille d'une grosse pièce, entourée d'un halo de poussière noire), pitoyable maintenant, tragique, comme si en cachant sa nudité il avait en même temps abandonné, abdiqué cette dimension pour ainsi dire surnaturelle, fabuleuse, à laquelle elle le faisait accéder, et cependant toujours terrible, invaincu, invincible, comme hors d'atteinte, sourd aux ricanements étouffés qui fusaient çà et là des lits (le maréchal des logis criant — élevant la voix pour la première fois : « Silence, fermez vos gueules ! » sans bouger ni tourner la tête, lui aussi absent aurait-on dit, ailleurs, dans ce monde où aucun d'autre qu'eux n'avait accès), poursuivant sans doute dans les obscurs méandres de son cerveau ses rêves obscurs de révolte et de violence où passaient pêle-mêle les

146

souvenirs des putains berbères, d'inhumaines beuveries
et d'inhumaines fatigues, debout dans ce treillis sale,
informe, pendant sur sa gigantesque carcasse comme une
tenue de bagnard, le maréchal des logis disant alors :
« Et tes galoches ? », l'autre le regardant, le maréchal
des logis répétant de sa même voix unie, calme, patiente,
comme il aurait parlé à un enfant, ou plutôt à un père
légèrement gâteux : « Mets tes galoches. Tu ne vas
tout de même pas descendre en cabane pieds nus ? »,
puis un moment après : « Ta couverture », et enfin, toujours sur le même ton uni, tranquille : « Allez : en avant
maintenant. On y va », retraversant la chambrée à la
suite du Pierrot blafard, la semelle de ses bottes éblouis-
santes clapotant au passage dans la flaque de vomi, puis
franchissant la porte qu'il referma, sa voix maintenant à
l'extérieur disant : « Entourez-le, qu'il ne fasse pas le
con », et après les bruits de bottes et les tintements des
éperons s'éloignant dans le couloir, décroissant, et plus
rien.

MACHINE

Partant de l'essieu qui joint les deux grandes roues
de fer, une chaîne (semblable aux chaînes des bicyclettes
mais en plus gros) se dirige d'abord à l'horizontale vers
la droite où elle contourne une roue dentelée au plateau
évidé, comme celui d'un pédalier, après quoi elle remonte

vers la gauche, s'infléchissant au passage sous une poulie, reprenant ensuite son ascension jusqu'à une seconde roue dentelée, plus petite que la précédente, puis elle redescend, contourne trois autres plateaux de différentes grandeurs et repart vers la droite rejoindre l'essieu moteur commandant aussi de façon synchrone, par un jeu de pignons biseautés, une autre chaîne, celle-là beaucoup plus robuste que la première, et qui disparaît en s'élevant obliquement à l'intérieur de la machine dans un plan parallèle à l'essieu et par conséquent perpendiculaire à celui dans lequel tournent les roues et se meut la première chaîne. Divers longerons, tiges et barres de fer s'entrecroisent, fixés à leurs départs et à leurs intersections par des boulons, reliant l'ensemble que constituent l'essieu, les diverses roues dentelées et leurs axes, à un bâti de fer en forme d'équerre aux côtés sensiblement égaux qui supportent deux planches dessinant comme les deux côtés d'une boîte plate dont manqueraient les deux autres côtés et le couvercle. Une pièce de bois en forme de cône très allongé, presque cylindrique, garnie d'ailettes à son extrémité la plus large, un peu comme une bombe, et protégée par un auvent de tôle, longe l'un des côtés de l'équerre. Une sorte de tablier, également en tôle, et de forme trapézoïdale, est disposé verticalement au plan dessiné dans l'espace par cette équerre, dans un plan lui-même bissecteur de l'angle droit et parallèle à celui dans lequel se meut la seconde et la plus grosse des chaînes. Des câbles d'acier d'un demi-centimètre de diamètre environ et guidés par des anneaux et des poulies circulent dans l'ensemble de la machine, longeant le bâti supérieur, plongeant dans la complication du mécanisme interne. L'un d'eux, plus mince, aboutit à la cocotte du frein montée à l'extrémité d'une tige proche de la place du conducteur, un siège métallique en forme de feuille de nénuphar légèrement concave (ou plutôt bi-concave, de façon à épouser la double convexité des fesses) percé de deux rangées concentriques de trous. La poignée et la cocotte articulée à sa base dessinent une figure faisant penser à un bec ouvert. A gauche de la machine dépasse, vers l'arrière et à peu près à l'horizontale, une sorte de fourche — ou de trident — aux larges pointes aplaties, légèrement recourbées, chacune des pointes prenant naissance sur la couronne d'une petite roue de fonte, réparties sur un tiers de la longueur de la circonférence. De l'autre côté de la machine (du même côté que le frein), une tige horizontale projette très à l'extérieur de l'ensemble un autre trident, assez semblable au premier, plus petit toutefois, et dont deux des dents ont été brisées, faisant penser à l'une de ces fleurs appelées ombelles et dont il ne resterait plus que la tige affaissée et quelques-uns des pédoncules de la couronne, sans fleurs, et cassés.

Telle qu'elle se présente, il est évident que la machine est incomplète et que plusieurs de ses pièces manquent, soit qu'elle ait été endommagée dans un accident, soit que, plus probablement, la machine étant hors d'usage, ces pièces aient été enlevées pour remplacer celles, correspondantes, d'une autre machine ou, tout simplement, pour être utilisées telles quelles, c'est-à-dire en tant que barres de fer, planches ou tringles pour des clôtures ou tout autre usage. La peinture primitive a presque entièrement disparu, les parties métalliques étant fortement attaquées par la rouille, et si les deux grosses chaînes de transmission occupent toujours leur emplacement et sont encore tendues, les câbles rompus ou débranchés pendent ou serpentent mollement dans l'entrecroisement compliqué des tiges de fer, des axes et des tôles, à la façon de lianes, comme si peu à peu l'ensemble métallique et inutilisable était envahi par une végétation parasitaire, métallique elle aussi, se faufilant dans les vides, les interstices, et achevant de le paralyser.

Toutefois, quoique son état actuel interdise de se faire une idée précise de son fonctionnement, il semble qu'en ordre de marche l'énergie transmise à partir de l'essieu des roues aux diverses pièces était alors transformée en mouvements soit rotatifs, comme celui de l'essieu lui-même, soit, par l'effet de bielles montées sur des axes excentriques, en mouvements alternatifs de va-et-vient, l'ensemble donc, lorsqu'il se mettait en branle, tiré par un ou deux (les brancards ayant disparu il est difficile de le savoir, cependant, étant donné la taille et le poids de la machine, le plus probable est deux) chevaux, devant être capable, dans un cliquetis métallique d'élytres, d'articulations et de mandibules, d'une série d'opérations synchrones, à la façon de ces automates ou plutôt de ces insectes capables en même temps de mouvoir de multiples pattes, de fléchir leur cou à droite et à gauche, d'ouvrir et de refermer leurs pinces, le tout s'arrêtant soudain, tout à la fois (c'est-à-dire l'insecte cessant d'avancer, de mouvoir sa tête et ses pinces) à l'approche d'un danger ou à la vue d'une proie possible, et alors soudain le silence, la terrifiante immobilité qui précède la course, la ruée, ou, au contraire, la reprise paisible, mécanique, de la progression et de l'ensemble des mouvements, saccadés ou onduleux.

Le nom du constructeur (MAC CORMICK) écrit en lettres au pochoir (c'est-à-dire dont les divers éléments, ventres et hampes, sont séparés par des isthmes) encore lisible, quoique à demi effacé, d'un blanc gris sur le fond de peinture verte écaillée, sur l'un des longerons, nom que sa répétition, sa fréquence sur ce genre de machines, a vidé de toute résonance écossaise (et même plus un de ces généraux nordistes à la retraite, à grand chapeau et barbiche blanche, président des conseils d'administration dans des wagons-salons aux canapés de cuir capitonnés et empuantis par la fumée des cigares) et devenu (de même que ceux des concurrents : ALIS CHALMERS, SINGER, MASSEY FERGUSON), avec sa consonance sèche, son cliquetis métallique, comme le patronyme générique de tout ce qui, à la surface du monde, rampe dans un grincement de chaînes et de fer entrechoqués, cahoté lentement dans les sillons, patient, acharné et vorace, perdu dans les immensités des terres labourées et des collines, et destiné à finir quelque jour, abandonné au soleil, à la pluie, au vent, se rouillant, tombant peu à peu en morceaux, dans un fossé, au coin d'un champ, sur le terre-plein d'une ferme ruinée, apocalyptique et anachro-

nique, avec ces roues dentelées, ces mâchoires, ces membres grêles, ces câbles, ces chaînes forgées dans l'assourdissant tapage des aciéries d'un continent lointain, comme
si dans des temps très anciens quelque séisme, quelque
raz de marée gigantesque venu lui aussi de très loin (de
même qu'autrefois les légions de bronze qui avaient traversé mers, montagnes et plaines pour venir s'entr'égor-
ger, parsemer de leurs cadavres un sol indifférent) avait
submergé la terre entière, charriant pêle-mêle, comme
les inondations, mulets, voitures, voyageurs de commerce,
carnets de traites et moissonneuses-batteuses, puis, en se
retirant, les avait laissés là, les représentants de commerce subsistant encore quelque temps, classant leurs
bons de commande et les traites signées sur la table d'un
café de village, vidant avec une grimace un dernier verre
de vin du pays, laissant au patron en guise de souvenir
artistique quelque planche-réclame aux couleurs pim-
pantes ornées de machines et de jolies filles, et repartant
enfin dans leur empyrée de gratte-ciel aux teintes pastels,
de cancers de briques, d'usines et d'aéroports géants —
les ossements des mulets et les mécaniques démantibu-
lées parsemant maintenant plaines et collines.

Les premiers blanchâtres, coutumiers et humbles. Les
secondes lentement rongées par la rouille. Elles laissent
peu à peu entrevoir leurs anatomies incompréhensibles,
délicates, féminines, aux connexions elles aussi délicates
et compliquées. Leurs articulations autrefois huilées, aux
frottements doux, sont maintenant grippées, raidies. Elles
dressent vers le ciel, dans une emphatique et intermi-

nable protestation, vaguement ridicules, comme de vieilles divas, de vieilles cocottes déchues, des membres décharnés : quelques tringles, quelque brancard pourri, un siège où aucun conducteur ne s'assiéra jamais et qui ne sert plus que de perchoir à quelques poules maigres au cou déplumé, rose vif. Quelquefois même, comme ici, la ferme ayant été abandonnée, il n'y a même pas de poules. Par moment le vent incline un peu les herbes qui ont poussé entre les roues et chuinte dans les maillons des chaînes, les câbles et les interstices étroits de leurs carcasses.

VOYAGE

chez della Francesca : cette caractéristique flétrissure de la plupart des visages et qui ne tient pas tant à la morphologie première (faciès de brutes — naturels dans la soldatesque —, d'empoisonneurs, de bellâtres, de gitons, comme, par exemple, dans la Défaite de Choroès, le page qui souffle de la trompette, un adolescent à première vue mais, si on l'examine plus longuement, une lourdeur opaque dans le regard, et les poches sous les yeux, l'impassibilité) qu'à quelque chose qui les a prématurément, sournoisement usés, marqués. Comme une tare. La richesse. Ou le pouvoir. Expression semblable sur les photos de vedettes de cinéma ou de milliardaires.

Comme une sorte de masque, plaqué. Second visage, en surimpression pour ainsi dire, superposé à des traits originellement beaux. Les femmes (la Vierge elle-même) pourvues de ces yeux aux paupières lourdes, dissimulatrices, à la fente sinueuse à travers laquelle filtrent, plus fourbes que pudiques, des regards en coin. Leurs lèvres aussi aux moues hautaines, dédaigneuses. Femmes-enfants conscientes de leur prix. Tout d'ailleurs est de prix ici, avec ostentation, insolence : les armures, les vêtements, les couleurs raffinées, les coiffures aux formes extravagantes...

les trois Espagnols bavards compagnons d'Ulysse commis voyageurs ou quoi ? ont fini par se taire fatigués sans doute (le gros volubile a parlé longtemps, les autres attentifs, lui maniant cette emphase solennelle ces silences ces coups de théâtre verbaux propres à leur peuple), celui au costume prince-de-galles suave et voyant trop clair quadrillé de fines raies bleu canard le visage mou adipeux dégoulinant comme un fromage blanc les cheveux noirs soigneusement lissés luisants le col déboutonné somnolant à présent la bouche ouverte

... portées, comme ces productions de haute couture, avec cette naturelle insolence cette naturelle vulgarité des gens trop riches et des larbins. Seuls certains vieillards. Encore que beaucoup ressemblent à des adolescents affublés de barbes postiches, parfumées. Cheveux aussi dans un savant désordre, comme ordonné ou plutôt ordonnancé par un de ces coiffeurs aux noms pompeux et cosmétiqués (Antoine, Alexandre) évocateurs de fastes de raf-

154

finements antiques, orientaux, les mèches se hérissant, comme des épines

le losange de soleil jaune étiré et marbré se déplaçant lentement sur la taie blanche du dossier à mesure que le wagon s'incline dans la courbe, glissant sur le visage du dormeur, le gros négligé en chemise marron compulsant un indicateur, le troisième quarantaine méticuleux et bistre aux minuscules mains baguées angoissantes comme les mains de ces petits singes, fumant et se nettoyant les ongles avec la lame d'un petit canif

les derniers pavillons d'une cité ouvrière s'enfuyant Une femme ouvre les volets d'une fenêtre se penchant en avant pour les plaquer de chaque côté contre le mur écartant tout grand ses bras blancs, sous ses aisselles des flammèches rousses

extravagantes coiffures surmontant les visages de leurs étranges cylindres les souvenirs voluptueux qu'il emportait de chez Odette attisaient encore sa jalousie

chemin déjà herbu entre deux jardinets campagnards petite fille vêtue d'un tricot bleu foncé culotte bleu clair sale debout son buste pivotant sur ses hanches maigres tandis qu'elle suit le train des yeux une main posée...

rouquin broussaille jaune sur sa poitrine montagne de viande sur elle frôlant les pointes de ses

... sur l'une des poignées du guidon d'une bicyclette et accoudée sur la selle le buste penché en avant dans une pose déhanchée qui fait saillir sa fesse une jeune fille plus grande portant une jupe rose plissée l'un de ses pieds chaussés d'espadrilles posé sur la pédale en posi-

tion haute une de ses mains sur la poignée du guidon
opposée à celle que tient la petite fille elle aussi suivant
les wagons des yeux

la tache de soleil avait maintenant atteint le tas de
journaux en désordre sur le siège libre LA STAMPA
CORRIERE DELL LE FIGARO immobilisée A présent
le train était sorti de la courbe filait en ligne droite
dans la plaine entre les champs plats bordés de peupliers
(carolins ?) droits monotones La couverture glacée d'un
magazine renvoyait le soleil éblouissante Je me penchai
pour la déplacer Le petit maigre qui continuait toujours
à se nettoyer les ongles se méprit il saisit la revue et
me la tendit souriant deux dents auréfiées brillaient au
coin gauche de sa bouche je souris aussi dis Gracias
muchas gracias Sur la couverture on pouvait voir la photographie d'une tunique blanche froissée tachée ou plutôt
inondée de sang HISTOIRE DE LA GUE les arbres
hachaient rapidement le soleil se succédant serrés puis
ils disparurent

femme arrêtée debout dans le couloir obstruant maintenant la fenêtre appuyée des fesses contre la vitre tout
près de mon œil le tissu pied-de-poule de sa jupe dont
le dessin vu ainsi de très près apparaissait formé de
petits losanges noir et blanc disposés en damier pas exac-
ment des losanges mais de minuscules parallélogrammes
étirés dont les pointes inférieures et supérieures se recour-
baient en sens opposé du fait du tissage en torsades la
partie femelle de l'une des trois agrafes qui fermaient la
jupe sur le côté manquant la fente bâillant légèrement

la petite agrafe-crochet elle-même mal cousue le fil en train de se défaire pendant de travers le crochet dirigé vers le bas *Il y a douze ans le 28 juin 1914 à Sarajevo trois coups de feu tirés par un* levant les yeux plus haut que la taille je pouvais voir la blouse se fronçant à l'endroit où elle rentrait dans la jupe le tissu blanc légèrement sali de noir sur les saillies des plis de même que le long des coutures de l'empiècement *la famille du vieil empereur d'Autriche-Hongrie « Franz-Joseph » semblait marquée d'une fatalité tragique son frère empereur du Mexique sous le nom de Maximilien Iᵉʳ que soutint puis abandonna Napoléon III avait été fusillé dans les fossés de Queretaro A la suite de l'exécution sa femme Charlotte avait perdu la raison Le fils unique de l'empereur le prince Rodolphe avait été trouvé mort à côté du cadavre de sa maîtresse la baronne de Mayerling La belle-sœur de l'empereur* la vitre le rectangle obstrué éclatant tout à coup se fragmentant l'espace l'air lui-même bruyamment fracassés en pans d'ombre de lumière barres stries pointillés noir et jaune se précipitant à l'intérieur du compartiment fuyant à toute vitesse puis la femme reprit sa position et de nouveau je ne vis plus que l'immobile quadrillage noir et blanc *la duchesse d'Alençon avait péri brûlée vive dans l'épouvantable incendie du Bazar de la Charité à Paris en 1897 L'année suivante l'impératrice Elisabeth était assassinée en Suisse par un anarchiste italien Le neveu de l'impératrice enfin le roi Louis II de Bavière atteint de démence avait tenté d'étrangler son gardien et s'était noyé avec lui dans le lac de Starnberg Il restait*

157

LA BATAILLE DE PHARSALE

à François-Joseph deux neveux l'archiduc Otto qui menait une vie dissipée et l'archiduc François-Ferdinand que l'on appelait à la cour F. F. (assassiné à Sarajevo le 28 juin 1914) qui avait épousé scandaleusement le 28 juin 1900 la belle Sophie Chotek de race tchèque dame d'honneur de l'archiduchesse Marie-Christine

car chez les duchesses c'est pour les roturiers un peu poètes le nom qui diffère mais elles s'expriment selon la catégorie d'esprit à laquelle elles appartiennent et où il y a aussi énormément de bourgeois je souffrais comme

apparenté aux principales familles régnantes d'Allemagne et d'Europe centrale me représentant toujours Charlus sous les traits de Proust lui-même tel qu'il apparaît sur cette photo où l'ombre de la ride qui descend à partir de la narine semble prolonger la moustache comme si celle-ci se relevait en croc ce qui lui confère raidi dans cette pose d'échassier avec sa canne d'ébène son costume sombre ses souliers vernis son col raide sa tête rejetée en arrière quelque chose de germanique une allure vaguement inquiétante clandestine comme ces princes ou ces rois habituellement revêtus d'uniformes chamarrés endossant un anonyme complet veston qu'ils portent avec autant de maladresse que les militaires en civil et venus incognito à Paris pour satisfaire à des penchants cachés inavouables et crapuleux d'autant plus raides d'autant plus compassés avec leurs moustaches en crocs leur morgue mal dissimulée que

personnages affublés de moustaches et de barbes postiches bizarrement inspirées consciemment ou non des

images de Landru et non pas jouant mais s'agitant avec
une frénésie bouffonne angoissante saillant des filles à
têtes de bonniches dans ce film vu dans un bordel se
démenant avec des mouvements saccadés heurtés comme
des automates détraqués scénarios d'une affligeante sot-
tise équivalente dans l'érotisme à celle des films habituels
sentimentaux ou d'aventure mais dont l'indigence même
conférait aux actes dépouillés de tout apprêt une sorte
de grandeur à la fois terrible et pitoyable un jardinier
découvrant au détour d'un massif son patron et sa
patronne accouplés sur l'herbe lâchant sa lance d'arro-
sage se précipitant d'une démarche tressautante tout en
défaisant sa ceinture et enculant l'homme ses fesses
au-dessus du pantalon en accordéon tressautant à toute
vitesse frénétiquement comique angoissant la femme
toujours en dessous faisant à son adresse des gestes
joyeux de la main manifestant son assentiment par une
mimique expressive pâmée roulant des yeux comme les
stars d'Hollywood puis immédiatement après sans tran-
sition sans doute était-ce des morceaux de films collés
n'importe comment bout à bout un autre mais celui-là
barbu à demi couché sur des coussins les cuisses écartées
exhibant au premier plan un membre d'âne dressé qu'une
matrone à la chevelure de mouton noir frisée le front
ceint d'un ruban comme Pola Negri flatte de la main
tandis que de l'autre la paume ouverte dans un geste
d'offrande allant et venant accompagné d'une mimique
et de clins d'œil gourmands eux aussi hollywoodiens
incitait ou invitait une jeune fille presque une enfant qui

tout d'abord prenait des airs effrayés reculait la tête
puis l'avançait puis enfin avec des mines mutines gour-
mandes commençait à lécher à petits coups de langue
l'énorme gland l'homme barbu lançant à la matrone
des œillades attendries
     bacchanales l'impression d'ensemble aussi rouge brique
sans doute à cause des dessous camaïeux ou de l'enduit
de préparation passé sur la toile et qui peu à peu resurgit
l'espace chez Poussin creux pour ainsi dire ou plutôt
creusé entourant de toutes parts le spectateur même
lorsque ses personnages ne sont répartis que sur un plan
comme ceux des bas-reliefs Différence avec della Francesca où cavaliers et fantassins sont alignés pressés dans
un espace d'une infime épaisseur la profondeur chez
Ucello ne dépassant pas celle limitée d'une scène de
théâtre c'est-à-dire que le spectacle offert se déroule à
l'intérieur du dièdre droit formé par le plancher de la
scène et la toile de fond le spectateur restant toujours
en dehors de l'autre côté de la rampe alors que chez
Poussin il se trouve pour ainsi dire précipité Critique
anglais qui définit le baroque *movement into space* mal-
heureusement intraduisible le mot *into* n'ayant en français que des équivalents faibles comme *au dedans de*
ou *à l'intérieur de*
     Me demandant ce qui provoquait cette impression de
relief à la fin je me rendis compte qu'un troisième fil
gris celui-là jouait dans le tissu les losanges étant de trois
couleurs noirs blancs et gris de sorte que leur combinaison
dessinait comme certains carrelages de petits cubes en

160

perspective accolés les uns aux autres et qui selon la façon dont on les lisait horizontalement verticalement ou en oblique semblaient tour à tour saillir ou s'enfoncer à l'intérieur d'un espace à trois dimensions cela jusqu'au vertige L'encadrement de la fenêtre le chambranle de la porte coulissante étaient faits d'un bois vernissé couleur acajou rougeâtre où sur les parties plates ou en saillies s'étalait comme un voile une impalpable couche de poussière gris clair mais gris foncé sur les doigts exhalant cette nostalgique odeur de gares de wagons de fumées de voyage

Les toilettes devaient être enfin libres car elle bougea s'encadrant un instant dans le rectangle de la porte penchée le bras coudé en avant guidant la petite fille la fenêtre enfin libérée le train de nouveau engagé dans une courbe le wagon oscillant se dandinant s'inclinant vers l'intérieur du long tournant au centre duquel dans la vallée où l'ombre commençait à s'amasser usine qui semblait pivoter lentement sur elle-même assemblage compliqué de passerelles de tuyaux de tours d'acier de poutrelles de cubes et de cheminées le tout d'un brun rouille dans les prés verdoyants comme si elle avait surgi entourée de son asphyxiant nuage de vapeurs brûlante et minérale des épaisseurs profondes de la terre dans un sourd fracas de choses concassées calcinées lentement écrasées par le poids de millions et de millions d'années forêts englouties pétrifiées fougères de pierre animaux poissons aux arêtes de basalte obscure gestation dans le ventre de comment s'appelait cette monumentale déesse

161

aux multiples mamelles d'argile et de rochers qui donnait au père dévorant des cailloux enveloppés de langes les cheminées vomissant lentement leurs fumées blanches se déroulant tournoyant s'enroulant de nouveau se poursuivant puis s'affaissant stagnant horizontales dans l'ombre bleue du soir

puis elle disparut le train roulant toujours la vallée cessant bientôt les montagnes cessant le soleil entrant de nouveau dans le compartiment les rayons plus obliques maintenant le rectangle marbré d'orange remontant sur la têtière du dossier dépassant la tête de l'Espagnol toujours endormi la bouche ouverte rampant s'allongeant s'étirant jusqu'à devenir semblable à une mince lame d'épée la raie d'or resplendissante jetant un dernier éclat puis s'amincissant encore une fente un fil et s'évanouissant le wagon se redressant le train patient infatigable continuant à parcourir la vaste terre s'enfonçant toujours plus avant pénétrant

into space au-dedans ou à l'intérieur de Par exemple l'extraordinaire *Orion aveugle marchant vers la lumière du soleil levant* s'enfonçant le spectateur s'enfonçant en même temps gigantesque sa tête dominant la cime des arbres touchant les nuages sur les sommets desquels l'aube les premiers rayons affleurent teintant les crêtes d'un rose saumon les bas des nuages le paysage tout entier les feuillages encore dans cette grisaille qui précède le lever du jour dans ce moment où la couche des ténèbres s'amincit achève peu à peu de se diluer transparentes s'égouttant lentement comme si on pouvait les

entendre se retirer glisser de plus en plus minces dia-
phanes la couleur faisant brusquement irruption au
sommet des montagnes une lointaine colline commençant à s'éclairer là-bas très loin ouverture tout au fond
du tableau non plus spectacle (les guerriers de della
Francesca s'assommant immobiles avec des gestes lents
« téléphonés » comme on dit dans l'argot de la boxe
comme ces mauvais poids lourds plantés ou plutôt enra-
cinés au milieu du ring montagnes de viande s'assénant
des coups à tuer un bœuf l'œil stupide reniflant en
secouant la tête envoyant des gouttes de sang sur les
plastrons empesés et les visons des premiers rangs jusqu'à ce que l'un d'eux sans préavis sans avoir fait un
pas s'écroule brusquement tout d'une masse l'arbitre se
précipitant levant le bras du vainqueur dont les jambes
semblent à ce moment se réveiller pour esquisser un
joyeux pas de rigodon se mouvant toutes seules semble-
t-il tandis que le regard toujours vide dans le terrifiant
visage martyrisé il continue à lapper paisiblement les deux
traînées de morve rouge qui descendent de ses narines)
mais pour ainsi dire environnement l'espace parcouru
immobile à grand pas

le vaste monde couché sous les nuages suspendus Coupant noir rigide et métallique à travers les champs les
vallées les forêts

emporté immobile sur cette banquette de sorte que
pourrais voir mots suite de mots s'étirant s'inscrivant
sur les kilomètres de temps d'air je veux dire comme
ces annonces ou ces dépêches dont le texte défile en

lettres d'or tremblotantes sur ces écrans lumineux chaque
lettre apparaissant l'une après l'autre O glissant de droite
R à gauche I en clignotant O s'enfuyant avec N une
inexorable régularité O-R-I-O-N séparées par des intervalles mouvants de temps et d'espace par exemple maintenant O talus s'abaissant rapidement R démasquant
une I clôture de barbelés O prairie avec deux vaches
N descendant jusqu'à une rivière la première lettre déjà
loin commençant à s'effacer O la deuxième encore au
stade de la dilution R la troisième vacillant se brisant
I tandis que la cinquième est encore fermement inscrite O et que l'avion publicitaire entame le dernier jam-
bage de la sixième N le mot n'étant jamais visible tout
entier moi déjà plus le même ailleurs à plusieurs centaines de mètres déjà plus vieux de plusieurs secondes
O—R—I—O—N la A colline ondulant V s'infléchissant
E remontant U le chemin E s'éloignant U se rapprochant
G se tordant L disparaissant E s'engloutissant sous le
train dans un furieux grondement de tôles de poutrelles
XXXXXX noir blanc noir blanc noir blanc les maisons
se multipliant peu à peu se rapprochant s'agglutinant les
jardinets rétrécissant puis disparaissant puis des rues
des trottoirs un tramway
    une ville
    les rails se divisant bruyamment s'écartant bifur-
quant se rapprochant divergeant de nouveau se dédou-
blant encore se multipliant s'étalant sur une grande
surface
    une locomotive arrêtée sous un manche à eau le chauf-

feur sans doute distrait l'eau blanche débordant de tous côtés autour du caisson tombant en cascade

un employé avançant parmi les voies un drapeau rouge roulé à la main levant haut les pieds pour enjamber les rails

le train commença à ralentir

trois longues voitures internationales arrêtées sur une voie de garage un homme vêtu d'une veste de lustrine luisante armé d'un balai à long manche lavant les vitres un autre apparaissant à l'une des portières un seau et des balais dans une main entreprenant maladroitement de descendre embarrassé son autre main tâtonnant sur la rampe de cuivre le soleil étincelant une fraction de seconde sur le flanc du seau éblouissant puis s'éteignant l'aiguilleur en manches de chemise accoudé à la fenêtre de la cabine vitrée regardant passer au-dessous de lui l'un après l'autre les wagons du train roulant de plus en plus lentement maintenant puis entre les voies un trottoir un quai le tintement d'une sonnette grelottant s'approchant de plus en plus fort très fort assourdissant puis décroissant s'éteignant cessant

des gens étaient debout sur le quai bâtons noirs des visages glissèrent horizontalement les têtes coupées par les bas des fenêtres de plus en plus lentement s'immobilisèrent

le train était arrêté les trois Espagnols debout descendaient leurs bagages des filets le petit ramassa les journaux restés sur la banquette puis se tint l'air gêné Je me rendis compte que j'avais toujours la revue sur mes

165

genoux je la refermai et la lui tendis Muchas gracias
muchas il la glissa dans une poche extérieure sur le flanc
de sa valise déjà bourrée par la liasse des autres journaux
elle dépassait de travers on pouvait voir un morceau de
la tunique blanche éclaboussée de sang les lettres TOIRE
et au-dessous RRE.

   autre représentation alors. Les Dernières Cartouches.
Mise en scène toujours mais maintenant ne se contentant
plus du simple dièdre formé par la toile de fond et le
plancher librement ouvert à droite et à gauche sur les
coulisses ou bien cet espace enveloppant *into* plein de
trous de tourbillons sans limites à droite à gauche en
avant ou en arrière. Espace clos au contraire, décor fermé.
Boîte dont l'un des côtés a simplement été enlevé. Comme
pour les comédies bourgeoises le mari la femme et
l'amant. Papier fleuri sur les murs, il me semble, quelque
chose avec des guirlandes dessinant des losanges accolés,
un petit bouquet ou un panier fleuri au centre de chacun,
le classique buffet bourgeois et la classique alcôve à
rideaux comme au Palais-Royal, le type en caleçon rem-
placé par un soldat à pantalon genre caleçon aussi mais
dont le bas est serré non par les classiques fixe-chaussettes
mais par des guêtres, les mains dans les poches, appuyé
du dos au cadre de l'alcôve côté cour et contemplant
d'un air morne, sombre, les gravats de plâtre qui parsèment le sol, la porte arrachée de ses gonds pendant de traviole et le groupe des autres soldats, côté
jardin, blessés ou tiraillant encore dans des poses réa-
listes c'est-à-dire comme les gens imaginent la réalité

ou peut-être à force de l'imaginer finissent par la voir
l'ombre de la poutrelle à croisillons soutenant la verrière s'allongeait en oblique noire sur le quai ensoleillé
d'un gris jaunâtre Il y avait un train arrêté de l'autre
côté formé de ces vieux wagons sans couloirs avec une
portière par compartiment un omnibus sans doute la
plupart des portières ouvertes les gens à têtes de paysans
assis à l'intérieur avec des paniers ou des paquets sur
les genoux nous regardant d'un air inexpressif Un homme
en veste blanche sale poussait sur le quai un petit char-
riot chargé de bouteilles avec des sandwiches sous un
couvercle de verre Un type en manches de chemise la
cravate desserrée le col ouvert l'arrêta

trou au plafond d'où sont tombés les gravats. Comme
une plaie ou un accroc mais pas plus. C'est-à-dire, comme
les gravats, la porte de guingois, les vitres cassées, le
matelas à carreaux bleu et blanc dressé verticalement
contre le mur, intrusion d'un désordre passager et limité
dans un ordre dont l'ossature, les structures principales
subsistent toujours. La mort ici...

refusant le gobelet de carton buvant à même la bouteille d'un brun orangé dans le soleil s'interrompant pour
souffler tenant alors la bouteille par le goulot verticale
devant sa poitrine le vide dans la partie supérieure de
la bouteille au-dessus du liquide brun rempli par un
cloisonnement de grosses bulles aux fines membranes
comme des bulles de savon Le soleil brillait sur les parois
translucides des bulles De temps en temps l'une d'elles
éclatait l'ensemble des cellules transparentes s'organisant

167

aussitôt dans une autre structure mailles d'un filet en tous sens

... comme quelque chose d'à la fois invisible et sale en accord avec les gravats le matelas pisseux : cachée dissimulée sous des linges souillés qui enveloppent le front d'un soldat la cuisse d'un autre c'est-à-dire pas de violence apparente pas de bras levés pas d'épées pas de javelines brandies mais comme on dit laver son linge sale comme dans ces drames de boulevard où dans l'atmosphère confinée d'un salon d'une chambre à coucher les personnages se portent des coups perfides s'assassinant par l'invisible moyen des paroles debout ou assis dans des fauteuils l'héroïne en robe mauve s'effondrant soudain sur le canapé une main sur le cœur contenant le sang d'une invisible blessure ou se traînant à genoux *je souffrais comme* éraflure dans la peinture grise de la porte le bois visible éraflé aussi petites échardes ébouriffées d'un jaune pisseux ligne ébouriffée de poils pisseux descendant de sa poitrine broussailleuse partageant son ventre en deux frottant les bouts de ses seins durcissaient devenaient rugueux en même temps qu'ils rose vif pas page de droite *ce nouveau sourire qu'elle lui avait adressé le soir même et qui inverse maintenant raillait Swann et se chargeait d'amour pour un autre de cette inclinaison de sa tête mais renversée sous d'autres lèvres* Idiote essayant de me retenir avec son café complice ou quoi complaisante ou peut-être désarroi aussi espérant alors me tirer les vers du nez m'épiant par-dessus le rebord de la tasse voulait à toute force que je *attendez-le*

il ne va peut-être pas tarder après avoir commencé par me dire qu'il ne rentrerait que le soir couverture *si vous voulez jouer des disques vous savez comment ça marche* achetée sans doute à la liquidation du pavillon algérien ou tunisien d'une exposition ou peut-être rapportée de là-bas *passer l'hiver à Marrakech* rayures vertes blanches orangées et noires mais c'étaient surtout les vertes ombre d'un vert nacré nue peut-être alors épiant invisible derrière la vitre qui reflétait le ciel bleu-noir le nuage gris se déformant d'un carreau à l'autre alors drôle d'effet s'Il trônait là sur le trottoir appuyé sur sa croix comme Achille sur sa lance entouré de nuages d'ouate hydrophile en face de la bouche du métro le Saint Esprit suspendu au-dessus de sa tête œil entouré de poils dans un triangle lui-même entouré de rayons et la cohorte des élus s'élevant sans trêve montant vers lui verticaux sur les marches de l'escalier mécanique un plombier un curé les robes vertes des deux jumelles un jeune homme à lunettes *combinée avec ces images la souffrance en avait fait aussitôt quelque chose d'absolument différent de ce que peut être pour toute autre personne une dame en gris un pourboire une douche toutes ces images ma souffrance les avait immédiatement altérées en leur matière même je ne les voyais pas dans la lumière qui éclaire le spectacle de la terre c'était le fragment d'un autre monde d'une planète inconnue et maudite une vue de*
je me levai sortis dans le couloir et m'accoudai à la barre de cuivre. Sur le quai l'ombre du pilier métallique

à croisillons n'avait pas bougé, noire sur jaune. Du moins apparemment. Comme quand on croit avoir dormi long-temps et qu'en rouvrant les yeux on s'aperçoit qu'on s'est simplement assoupi quelques secondes. Au plus quelques minutes. Comme si l'ombre, le quai, le wagon immobile étaient étroitement soudés pour toujours. Toutefois le marchand de cannettes et sa petite voiture avaient dis-paru. Je me penchai et le vis, très loin maintenant, vers la queue du train, tendant une bouteille vers une main ouverte qui sortait d'une fenêtre. Au moment où je regardai l'horloge la grande aiguille bougea, sautant brus-quement l'intervalle de trois minutes, et presque aussitôt le train démarra, l'ombre à croisillons commençant à reculer, d'abord très lentement, puis plus vite, puis une autre exactement pareille apparut sur la gauche, glissant maintenant à bonne allure, puis une troisième aussitôt emportée, le wagon sortant de sous la verrière et le soleil me

lumière qui éclaire le spectacle de la terre c'était le fragment d'un autre monde d'une planète inconnue une vue de

une petite foule était arrêtée derrière la barrière du passage à niveau, les yeux nous regardant passer dans les visages levés. Certains à pied la plupart montés sur des bicyclettes ou des vélomoteurs. Le soleil du soir étincelant posant d'aveuglantes pelotes d'épingles sur les guidons et les pièces chromées. Une dizaine d'autos, des camionnettes aussi, étaient arrêtées, noyées dans le fouillis des bicyclettes, les femmes un pied posé par terre

170

prêtes à repartir tenant le guidon par les deux poignées, d'autres, sans doute ceux qui étaient là depuis plus long-temps, à demi-assis sur les cadres le vélo incliné en étai. Derrière les glaces des voitures les visages nous regar-daient aussi, ovales clairs dans le poudroiement confus de la lumière jaune. Quelques-unes des filles faisaient un geste de la main. Nous passâmes lentement prenant peu à peu de la vitesse

je rentrai dans le compartiment et m'assis. Il y avait maintenant un homme et une jeune femme. Je ne me rappelais pas les avoir vu entrer. Peut-être pendant que *je souffrais images quelque chose absolument différent de ce que peut être pour toute autre personne une dame en gris un pourboire une douche altérées en leur matière même je ne les voyais pas.* Il avait posé à côté de lui une serviette de cuir où étaient rangés des classeurs et des papiers. Un stylo à la main il annotait des feuilles dactylographiées, comme des barèmes, s'appuyant sur une couverture de carton. La jeune femme était en toi-lette de ville, les bras nus. Elle se tenait immobile, ses deux mains gantées reposant sur le sac en cuir blanc posé sur ses cuisses, regardant par la fenêtre. Maintenant le train filait rapidement, les roues sautant sur les aiguil-lages dans un fracas de métal entrechoqué, puis...

fracas tumulte confus d'armes et de cris mêlés indis-tincts continu s'élevant de cette mêlée écailleuse qui semble couler se bousculer à l'étroit entre les rochers les pentes des montagnes de Bruegel alors que chez della Francesca il semble qu'on puisse entendre nette-

171

ment détachés dans le silence les chocs les tintements
clairs des glaives des boucliers dans le tourbillon des batailles de Poussin on dirait que c'est l'air lui-même qui

... il n'y eut plus que le choc régulier des roues, monotone, aux cassures des rails. Elle cessa de regarder par
la fenêtre, posa son sac à côté d'elle, retira ses gants, les
posa sur le sac, prit sous l'accoudoir un livre qu'elle
avait sans doute mis là en s'asseyant, entre sa cuisse et
la paroi, et l'ouvrit, ses sourcils se fronçant aussitôt,
aussitôt absorbée, c'est-à-dire comme si quelque chose
d'immatériel qui la remplissait l'instant d'avant se vidait
tout à coup, des milliers de petites particules qu'il me
semblait voir, comme la limaille sur ces champs magné-
tiques, abandonnant le corps pour se précipiter, comme
aspirées, sur les pages ouvertes, et s'y fixer, le corps maintenant inerte, comme une carapace oubliée là, posé sur la
banquette, filant horizontalement au-dessus des rails à
travers la campagne, tandis qu'elle était maintenant tout
entière sans doute dans ce monde verdâtre que repré-
sentait le dessin sur la couverture coloriée, baignant
dans une lumière glauque à travers laquelle on distinguait une sorte de forêt, de jungle tropicale, avec des
bambous aux longues feuilles devant lesquelles un homme
au visage énergique, tourmenté, vêtu d'une chemise et
d'un short kaki, était représenté au premier plan, le bas
de la couverture le coupant un peu au-dessus des genoux,
tenant dans sa main un verre à demi rempli d'un liquide
jaune qu'il contemplait avec une sorte de fascination
cependant que par-dessus les glauques épaisseurs de la

172

forêt flottait, en surimpression, un fantomatique et gigantesque visage de femme ou plutôt de jeune fille, enfantin, encadré de longs cheveux également verdâtres, comme des algues, les yeux clairs, le visage tout entier d'une couleur aquatique, comme s'il dérivait entre deux eaux, et aussi grand à lui seul que l'homme tout entier, sorte d'ectoplasme sans poids, comme le spectre d'une noyée entouré par les feuilles de bambous suintantes d'humidité et dominées elles-mêmes, vers le haut de la couverture, par une colline au sommet de laquelle s'élevait une croix, presque noire dans le ciel d'un vert également aquatique sur lequel s'étalait le titre en lettres jaunes (le même jaune qui teintait le liquide dans le verre), emphatiques, dans cette langue elle-même emphatique, quelque chose comme FORZA DEL DESTINO ou LA POTENZA E LA GLORIA ou

Le train ralentit, s'arrêta. Elle jeta un bref coup d'œil par la fenêtre, puis la forza del destino l'accapara de nouveau. Je pris mon livre dans le filet. Il s'ouvrit tout seul à la page où j'avais laissé la carte postale : *tout l'inquiétait passionnément la forme des herbes des bestioles la mousse des rochers éclatés sous la poussée patiente des racines les monstruosités humaines ou animales les choses vivantes les choses inertes les cuirasses de fer forgé les armes les casques à antennes les bannières armoriées sa sympathie universelle ne négligeait rien de ce qu'elle jugeait nécessaire au perfectionnement de son métier et de son esprit ni un bout de bois mort ni un tas de pierre ni la disposition de fortune de la clôture*

*d'un champ maintenue avec des cordes on dirait que la
nature est restituée pêle-mêle dans l'ordre ou plutôt
l'absence d'ordre où elle se présente à*

Dans le silence on pouvait maintenant entendre le
bruit du papier frottant sa manche chaque fois qu'elle
tournait une page. Du dehors parvenait le chuintement
régulier des jets de vapeur que lâchait la locomotive
arrêtée. Deux moineaux s'abattirent bruyamment sur un
des fils du télégraphe, se disputant déjà en vol, sans
doute pour quelque ver, piaillant de fureur, battant des
ailes, puis s'envolèrent, se disputant toujours. Le fil sur
lequel ils s'étaient posés resta quelques instants à se
balancer, et ce fut de nouveau le silence.

*tout pour l'artiste allemand est au même plan dans
la nature le détail masque toujours l'ensemble leur univers n'est pas continu mais fait de fragments juxtaposés
on les voit dans leurs tableaux donner autant d'importance à une hallebarde qu'à un visage humain à une pierre
inerte qu'à un corps en mouvement dessiner un paysage
comme une carte de géographie apporter dans la décoration d'un édifice autant de soin à une horloge à marionnettes qu'à la statue de l'Espérance ou de la Foi traiter cette
statue avec les mêmes procédés que cette horloge*

Le train ne repartait pas. Je me levai et sortis de nouveau dans le couloir. Pas encore la pleine campagne :
plutôt cette zone où les extrêmes confins des villes achè-
vent de se désagréger, se dépiauter, commençant à laisser
de nouveau place aux prés, aux champs. D'autres têtes
de voyageurs étaient penchées aux fenêtres regardant

écoutant le silence. Une brise agitait les feuilles des petits acacias poussant sur le talus. On pouvait sentir la fraîcheur du soir le léger vent inclinait aussi les brins d'herbe entre les cailloux du ballast, le talus...

couchée sous lui cette inclinaison de la tête renversée sous d'autres lèvres

... descendait en pente raide jusqu'à une palissade faite de traverses passées au goudron, noires, épointées, fichées en terre, penchées légèrement en arrière comme sous la poussée du remblai mais irrégulièrement de sorte que la ligne de la palissade ondulait parmi les ronces et les buissons d'orties feuilles en...

tous les souvenirs voluptueux qu'il emportait de chez elle

... dents de scie mordant cuisantes brûlures petites cloques roses sur les jambes nues des enfants on distinguait des choses pots cassés brocs ou cuvettes en fer émaillé bleu ou imitation marbre ou encore ces marmites à l'émail passant en dégradé du rouge à l'orangé à demi enfouies sous les ronces comme si les voyageurs de tous les trains...

broussaille jaune montagne de écrasant froissant seins dont les bouts durcissaient devenaient rose vif rugueux sous la langue

... avaient choisi cet endroit pour se débarrasser de Et au-delà de la palissade un jardinet à l'abandon herbu avec au centre un petit bassin au ciment fendillé et une statue en plâtre noirci petit amour ou bacchus son visage à fossettes levé vers la grappe que tenait peut-être autre-

175

fois le bras maintenant cassé à hauteur de l'épaule là
où la chair grasse des enfants se plisse à partir de l'aisselle l'amputation laissant voir l'intérieur creux béant
et sur le pourtour le plâtre dans son épaisseur d'un gris
plus clair le jardin envahi par les mauvaises herbes sous
lesquelles on distinguait vaguement les tracés des anciennes allées continuant jusqu'au perron d'une maison aux
volets fermés les arbres frémissant toujours l'insolite
silence Derrière la maison s'étendait un petit bois où entre les troncs l'ombre commençait déjà à se faire noire

bataille quel peintre allemand devant des feuillages
vert noir cartonneux au pied de rochers escarpés ou plutôt
séance d'abattage bûcherons dans des armures de métal
blanc guillochées avec ces coudes comme ont les tuyaux
de descente ces coquilles Saint-Jacques bombées entre
les jambes massacrant *comme on déboise* maniant à deux
mains leurs lourdes rapières comme des ouvriers sans
hâte les monceaux de corps abattus de tuyaux enche-
vêtrés dessinés avec précision dans la lumière égale les
visières relevées laissant voir des barbes rousses broussailleuses galopant cette lance pointée en avant luisante
le pinceau trop chargé de peinture bavant oreille qui voit
l'une de ses mains abandonnant la nuque de cheveux
jaunes descendant contournant sa cuisse repliée sa fesse
et au moment où il se recule saisissant la verge dont elle
tire brusquement la peau en arrière de façon à bien découvrir le gland sa gorge quand il s'enfonce de nouveau en
elle faisant entendre un bruit comme si elle s'étouffait
articulant des mots entrecoupés puis elle se mit simple-

ment à crier oreille qui je frappai frappai frappai je ne souffrais pas ce fut seulement plus tard que je sentis quelque chose de cassé sans doute à l'intérieur petits os carpe nageoire de ces

fil d'acier courant le long de la voie sur les petits piquets à poulies frémissant avec un léger cliquetis de métal de proche en proche puis continuant un moment à frémir ondulations d'amplitudes de plus en plus faibles tandis que le train s'ébranlait la machine lançant un puissant jet de vapeur sur le côté il se mit à rouler d'abord très lentement reprit de nouveau par à-coups de la vitesse

elle avait lu environ une trentaine de pages maintenant soit un millimètre à peu près d'épaisseur entre le pouce et l'index de la main gauche arrivée apparemment au plus épais de la forêt vierge des bambous torturée par les sangsues les moustiques et l'angoisse métaphysique du whisky débattant dans la sueur tropicale des problèmes conjugués et conjugaux du désir des difficultés du pouvoir et de la rédemption par le péché ou les soins aux lépreux quelque chose d'anglo-christiano-saxon de moite et de...

cinq petits garçons tapant maladroitement dans un ballon et se poursuivant dans un pré pelé bordé de peupliers entre les buts faits de perches même pas écorcées liées par des ficelles rideau d'arbres s'interposant taches courant à travers les feuilles puis plus rien

... profond *statues de l'Espérance et de la Foi* imbécile ferait un joli titre aussi lasciate ogni speranza forza del

177

destino le tragicaca de consciença déchirant le héros brûlant d'âmâmour pour la femmenfant du brutal ingénieur
kibat les pauvnèg brutal mézélas éfikas faut-il le ren-
voyer en Europa pour filéralor la parfaitamoura ô est-ce
là pécher Seigneur est-ce là pécher ma bite dans son gentil
trouducu kefer kefer risquant de con pro mettre la con
struction du barrage qui doit avant la mousson sauver
de la famine les skeletiks zindigènes de la vallée solution
(il sefra finalman mouhane) page 347 et dernière un
centimètre et demi de feuilles encore entre son pouce
et son index droit ce qui à raison de trente pages ou un
millimètre par demi-heure doit faire environ quinze demi-
heures soit sept heures et demie de caca de con science
le tout pour trente-cinq lires soit environ un centime la
page de mets ta physique mais à la fin Dieu saura reconnaître les siens calculant qu'elle en aurait au moins pour
deux soirées bien tassées en connepagnie des mâles
rosbeef shortculottés des mouches tsé-tsé et des Seigneur
éloignez de mouha ce cacalisse ô Seigneur alors pourquoi
ne pas en avoir profité moi aussi pour le Lui demander
pendant qu'Il se tenait assis dans ses nuages de coton
en face de la sortie du métro le pipigeon du sain d'esprit
suce pendu bandant au-dessus de sa tête Sodome et
Gonhorrée page combien *tous laids souvenir voluptueu*
kil emporté de chézelle lui permetté de sefer unidé dé
zatitudezardante zoupâmé kel pouvé tavoir avek d'otr
desortekil enarivé taregrété chak plésir kil gougoutait
oh près d'aile chak cacaresse invanté é dontil orétu lim-
rudance de lui sinialé ladousseur chak grasse kil lui décou-

LA BATAILLE DE PHARSALE

*vriré kar ilsavé kun instantapré ailezalé tenrichir dinstru-
ment nouvo sonsu plisse* le soleil tout à fait bas maintenant ses rayons horizontaux pénétrant dans le compartiment déchiquetés cuivrés verdis par le criblage entre les
jeunes acacias bordant le talus fuyant alors impossible de
voir s'il dormait ou pas sa tête en arrière sur le dossier tenant toujours entre ses mains les feuilles dactylographiées
les deux verres de ses lunettes reflétaient l'éblouissante
fuite horizontale pointillée des feuilles devant le couchant
    bibite dans son mignon troufignon éloignez de mouha
ce cacalisse éloi
    il n'y avait que deux voyageurs dans tout le couloir
presque à l'autre bout adossés à la paroi des comparti-
ments fumant leurs cigarettes j'abaissai la glace l'air me
fit du bien le train s'enfonçait dans une vallée le soleil
disparut et brusquement
    Elohim
    ce fut le soir je sentis la fraîcheur sur mon visage le
wagon s'inclina Là-bas tout au bout de la courbe la
locomotive continuait à filer infatigable tirant derrière
elle la longue théorie des wagons muraille métallique
vert sombre chenille dévorante glissant sur la surface
poilue de la vaste terre au-dessus des profondeurs miné-
rales et opaques où dorment ensevelies les étincelantes
fougères d'anthracite les poissons de pierre les coquilles
les escargots le feu enfermé les prés les bois se préparant
au sommeil s'enténébrant le mélancolique et frissonnant
crépuscule l'envahissant se couchant sur elle la recouvrant peu à peu le train obstiné patient mécanique gron-

dant sur les ponts les rivières filant entre les champs ombreux s'engouffrant dans le fracas répercuté entre les humides et rocheuses parois des tranchées en ressortant s'inclinant de nouveau dans une courbe rives d'un lac aux eaux noires languettes lappant mourant parmi les joncs de la rive frangées d'argent

installez-vous il y a des livres si vous voulez jouer des disques est-ce voulez-vous que je vous montre comment ça marche Je vous remercie mais Il sera désolé je suis sûre que ça lui ferait plaisir de installez-vous comme chez vous Bon Dieu tu ne peux pas faire comme tout le monde la baiser et Comme tout le monde ? Oh bon Dieu je veux dire Comme tout le monde Comme tout le monde Quelquefois les soies trop appuyées bavaient et des franges bite rouge dans son

dans l'humide crépuscule ils finissaient de charger la charrette entassant le foin il me semblait pouvoir sentir l'odeur conservant la tiédeur du jour la femme levant les bras pour tendre la dernière gerbe au bout de la fourche étirant son corps l'homme enfoui jusqu'à mi-cuisses dans le chargement se penchant pour l'attraper par le lien je pus voir ses aisselles broussaille noire à la naissance des bras levés

tu as dit Oh bon Dieu Comme tout Bon Dieu ce n'est tout de même pas la première fille que tu Tu parles d'un foin Il se tut se pencha un peu plus en avant attentif les soies du pinceau tournant maintenant sur place dessinant à l'extrémité du trait une boule rouge qui se gonflait Oh arrête un homme apparut perché sur une moissonneuse à grandes roues de fer attelée d'un cheval blanc dans un chemin montant il était vêtu d'une chemise bleu clair et d'un pantalon bleu foncé il leva le bras l'agita son buste s'inclinant en arrière tendant les rênes qu'il tenait de l'autre main le cheval s'appuyant alors sur le mors donnant un coup de reins arrondissant l'encolure et levant haut la jambe de devant comme s'il piaffait tirant vigoureusement sur les harnais

crépuscule s'assombrissant encore

raidillon aux aubépines où vous prétendez que

quelquefois la nuit il arrive que des voyageurs à moitié endormis croyant ouvrir la porte des toilettes se trompent tombent par accident sur la voie. Du moins c'est ainsi qu'on explique leur mort

ça doit être vite fait On ne doit pas souffrir longtemps

O

Repartir, reprendre à zéro. Soit alors O la position occupée par l'œil de l'observateur (O.) et d'où part une droite invisible OO′ rejoignant l'œil à l'objet sur lequel est fixé le regard, une infinité d'autres droites partant du même point entourant OO′, leur ensemble engendrant un cône qui constitue le champ de vision de O. debout sur le côté d'une place plantée d'arbres et où s'ouvre

181

une bouche de métro, le cône de vision figuré (selon une coupe verticale) par l'angle $\widehat{TOF}$, T correspondant au bord du trottoir devant un immeuble situé sur le côté opposé de la place, la lettre F à l'une des fenêtres du premier étage de cet immeuble, ceci lorsque O. regarde naturellement en face de lui, l'angle $\widehat{TOF}$ (dont la bissectrice est OO′) pivotant de haut en bas autour de son sommet (à la manière d'un faisceau de projecteur) selon que le regard de O. se dirige vers tel ou tel objet (O′, O″, O‴) qui peut être tour à tour la terrasse du café au rez-de-chaussée de l'immeuble, une fenêtre située au cinquième étage du même immeuble, ou tout autre point ; un second cône, plus ouvert, entourant le cône principal de vision et englobant une zone dans laquelle les objets (par exemple, en position normale, O. regardant droit devant lui : le ciel, le soleil, ou encore le sol aux pieds de O. et jusqu'à une certaine distance de celui-ci) se trouvent dans cette frange imprécise d'où seules de vagues perceptions de lumière, d'ombre, d'immobilité ou de mouvement sont reçues, O., par exemple, ne voyant pas à proprement parler les trois pigeons piétant qui, en quête de nourriture (quelques graines ou des détritus du marché qui s'est tenu là le matin ?), décrivent sur la place de vagues méandres (ou plutôt une succession de lignes droites brusquement coudées) au-dessous de la ligne OT hypothénuse du triangle rectangle dont le sommet de l'angle droit se trouve aux pieds de O., de sorte que, pour celui-ci, leur existence

182

est en quelque sorte marginale : rien que deux taches
grises et une beige, vaguement renflées, qui se déplacent
sur la grisaille de l'asphalte d'une façon un peu incohérente, avec de brusques ralentissements, de brusques
accélérations, se rapprochant, se confondant, s'éloignant
de nouveau, et rien d'autre (pas les reflets verts et
mauves — ou cuivrés pour le beige — des plumes sur
leurs cous, ni le va-et-vient saccadé des têtes projetées en
avant à chaque pas, ni le mouvement rapide, mécanique,
des courtes pattes roses) : il en est d'eux (dans la per-
ception de O.) comme des éléments de ces motifs déco-
ratifs, ces enluminures faites de plantes, de volutes et
d'oiseaux entremêlés qui courent autour des miniatures
des livres d'heures et que l'œil, accaparé par le sujet
de la miniature, perçoit seulement, mais en réalité ne
regarde jamais : un cadre, l'inévitable et sempiternel
environnement d'ailes, d'yeux cerclés d'orange et de
roucoulements bougeant vaguement autour de toutes les
statues d'hercules et de héros aux têtes couvertes de
perruques de fientes blanchies et qui, dans les parcs ou
sur les façades des monuments, élèvent vers le ciel des
armes dérisoires ou des chaînes rompues, noircissant
peu à peu sous les accumulations de crasse urbaine et de
suie, témoignant, avec leurs musculeuses académies, leurs
muettes exhortations et leur éternelle frustration, des
victoires et des révolutions passées, métaphoriques et
obstinés, brandissant des fusils, efflanqués, vacillant
sous les moulinets d'un sabre, condamnés à se battre
sans fin contre... contre...

183

Reprendre, ordonner. Premièrement, deuxièmement, troisièmement.

Soit donc O désignant le point occupé par l'œil de l'observateur (O.) et OF la droite qui joint ce point à la fenêtre F au cinquième étage de l'immeuble en face duquel se trouve O., cette ligne OF brusquement coupée par la forme sombre d'un pigeon, O. se tenant du côté ensoleillé de la place, de sorte que (le regard attiré par le mouvement, ayant involontairement suivi l'oiseau au moment où la ligne de son vol est venue à intersection avec OF, dépassant le toit de l'immeuble) sa rétine est alors violemment impressionnée pendant une fraction de seconde par la silhouette obscure du pigeon, ailes déployées, en forme d'arbalète, se découpant en sombre sur le disque éblouissant du soleil : donc jaune, arbalète noire, puis jaune de nouveau.

Et, si l'on cherche à se faire une idée globale de l'ensemble des relations, il faut aussi considérer la droite OF dans son sens FO : soit un autre observateur (ou observatrice) O. se tenant en F., c'est-à-dire dans la chambre qui correspond à la fenêtre du cinquième étage, et observant le premier observateur (qui, de sujet, devient ainsi objet — la lettre O pouvant donc également, dans cette situation, continuer à le désigner) à travers les mailles du rideau de filet à demi invisible derrière la vitre, pouvant alors voir le pigeon prendre brusquement son vol, se séparant de son ombre qui, tandis qu'il s'élève, court d'abord horizontalement et légèrement en diagonale sur l'asphalte de la place, l'observateur (ou l'obser-

vatrice), de l'endroit où il (elle) se trouve, c'est-à-dire à
un étage élevé, et le soleil derrière lui (elle), voyant
le pigeon de plus en plus distinctement et non pas sous
la forme sommaire d'une arbalète noire mais (ailes, corps
et queue en éventail) d'un beige rose parsemé de taches
d'un beige plus clair, l'ombre (le pigeon s'élevant toujours) qui a maintenant traversé le terre-plein de la place
dans toute sa largeur, obscurcissant un instant (le temps
d'un battement de paupières ou d'ailes) la tache claire
que fait le visage de O., celle-ci réapparaissant aussitôt,
au-dessus du buste coupé par le toit d'une voiture en
stationnement derrière laquelle il se tient — et peut-être
se dissimule, attentif à observer non seulement la fenêtre
mais encore à imaginer le spectacle que lui-même peut
offrir à un regard extérieur, que ce soit celui de l'observatrice dissimulée derrière le reflet de la vitre ou celui de
toute autre personne qui pourrait l'observer, soit dans
le moment présent, soit par la suite, O. n'étant donc
qu'un simple point compris à l'intérieur de tout autre
cône de vision balayant la place (comme il peut, par
exemple, apercevoir sa propre image reflétée dans la
glace d'un magasin), sans plus ni moins d'existence qu'une
trace, comme par exemple encore, durant le court instant où l'angle F͡OT balaie de bas en haut la façade de
l'immeuble, les balcons, les fenêtres, la corniche, le toit,
les fenêtres des mansardes, les cheminées, glissant, ne
laissant sur la rétine qu'une trace faite de traînées brouil-
lées, comme ces objets (arbres, buissons) sitôt disparus
que vus qui se succèdent et se remplacent à toute vitesse

pour le voyageur regardant par la fenêtre d'un train, les formes déchiquetées des acacias poussant sur le remblai, hachant le soleil, les fuites de l'espace et du temps se confondant, c'est-à-dire que pour O. se déplaçant avec rapidité d'un endroit à un autre le monde n'apparaît à aucun instant identique à ce qu'il était dans l'instant qui a immédiatement précédé, de sorte que, si l'on tient compte des multitudes des points d'observation, des reflets, des images virtuelles et des déformations, des altérations que celles-ci peuvent subir selon la surface réfléchissante (vitres de mauvaise qualité, carrosseries d'autos, glaces de magasins où l'observateur peut voir sa silhouette transparente, sans consistance, se superposer aux substancielles marchandises de l'étalage) et si l'on tient également compte que dans l'exposé ci-dessus on a simplifié la figure en choisissant une seule coupe pratiquée selon un plan vertical et dans un moment donné (et que l'on pourrait concevoir quantité d'autres schémas, d'autres coupes, soit dans l'espace (horizontales ou obliques), soit encore dans le temps), on doit se figurer l'ensemble du système comme un mobile se déformant sans cesse autour de quelques rares points fixes, par exemple l'intersection de la droite OO′ et du trajet suivi par le pigeon dans son vol, ou encore celle des itinéraires de deux voyages, ou encore le nom PHARSALE figurant également dans un recueil scolaire de textes latins et sur un panneau indicateur au bord d'une route de Thessalie.

III

CHRONOLOGIE DES ÉVÉNEMENTS

> *Un outil apparaît endommagé, des matériaux apparaissent inadéquats... C'est dans ce découvrement de l'inutilisable que soudain l'outil s'impose à l'attention... Le système de renvois où s'insèrent les outils ne s'éclaire pas comme un quelque chose qui n'aurait jamais été vu, mais comme un tout qui, d'avance et toujours, s'offrait au regard. Or, avec ce tout, c'est le monde qui s'annonce.*

MARTIN HEIDEGGER.

De l'autre côté de la vitre, des prés, des bois, des collines, dérivent lentement. La vue est parfois obstruée ou déchiquetée par le passage rapide de talus ou d'arbres qui bordent la voie. La tête de l'un des Espagnols, penché en avant, se découpe sur le fond lumineux et changeant de la campagne emporté dans un mouvement horizontal. Le profil à contre-jour est d'un dessin aigu, le nez en bec d'aigle. Les cheveux sont cosmétiqués et lissés en arrière. Le regard est dirigé sur le gros Espagnol, assis sur la banquette en face, vêtu d'une chemise marron et qui parle sans discontinuer, les deux autres — le maigre de profil et le chauve — se contentant d'acquiescer de la tête chaque fois que le gros termine une de ses phrases par le mot No prononcé d'une façon interrogative. Toutefois cette interrogation qui se répète à intervalles rapprochés (toutes les deux ou trois phrases) semble être un tic de langage et ne pas appeler autre chose que les imperceptibles hochements de tête qu'elle provoque. Souvent même les deux auditeurs restent impassibles et après le No ? final le gros homme entame aussitôt une autre phrase, la voix reprenant, monotone, infatigable.

LA BATAILLE DE PHARSALE

Les mots qui se succèdent ont une consonance râpeuse et gutturale qui rappelle souvent l'arabe, de même que cette faculté de discourir sans arrêt, une phrase en entraînant immédiatement une autre. Le discours semble obéir aux lois d'une rhétorique théâtrale, qui fait se succéder dans un même flot les questions, les réponses à ces questions, les rebondissements et les subordonnées. De même les modulations de la gorge, semblables à des rots, des renvois, évoquent pour l'oreille ces conteurs orientaux qui parlent sans fin, assis en tailleur dans la poussière, entourés d'un cercle d'auditeurs hochant la tête d'un air méditatif. Des collines plus élevées, plantées de vergers, quelquefois de vignes sur de hauts tuteurs, montent et descendent maintenant au-delà de la vitre. La silhouette d'un contrôleur apparaît dans le couloir. De sa poinçonneuse il frappe de petits coups contre la glace qui sépare le compartiment du couloir et fait glisser la porte coulissante. O. prend dans la poche intérieure de sa veste son billet et le lui tend.

O. est assis sur le bord de son lit et regarde le billet qu'a établi l'agence de voyages. A côté de lui une valise à demi pleine est posée sur le plancher de sa chambre. Des chemises, du linge plié, mouchoirs, chaussettes, sont disposés en petits tas sur le lit, prêts à être rangés dans la valise. Le billet est en réalité un petit carnet dont chacun des feuillets correspond à un trajet : PARIS-FIRENZE, FIRENZE-AREZZO, AREZZO-FIRENZE, FIRENZE-WIEN, WIEN-MÜNCHEN, MÜNCHEN-PARIS. Les feuilles sont d'un gris verdâtre. Sur la gauche, dans un rectangle divisé en casiers par des lignes horizontales et verticales sont indiqués la classe dans laquelle peut voyager le propriétaire du billet et le prix du trajet. O. s'assied à son bureau, prend un bloc de correspondance de petit format, écrit une courte lettre, plie la feuille en deux, la met dans l'enveloppe, écrit sur l'enveloppe Mademoiselle Odette Pa..., s'arrête d'écrire, reste un moment la plume levée, et déchire l'enveloppe et la lettre. Il se lève, sort de la pièce, suit le couloir, entre dans les w.-c., jette les morceaux de papier déchiré dans la cuvette et tire la chasse. Quand l'eau cesse de bouillonner quelques fragments surnagent dans le fond, tournoyant lentement. Sur l'un d'eux on peut lire les lettres Mademoi entourées d'une auréole grise, floue, formée par l'encre que l'eau a commencé à diluer. O. attend que le réservoir de la chasse ait achevé de se remplir et tire une nouvelle fois sur la poignée. Cette fois tous les morceaux de papier ont été emportés.

O. se trouve dans l'entrée d'un musée. Il est arrêté devant un comptoir où des cartes postales reproduisant des tableaux sont rangées dans des petits casiers. Il en choisit plusieurs dont une représentant des cavaliers aux armures sombres montés sur de lourds chevaux. Ils sont armés de lances rouges ou jaunes dressées vers le ciel ou inclinées selon divers angles et qui se détachent sur le fond brun. O. s'assied à la terrasse d'un café, il sort les cartes postales de sa poche, il les regarde, il en choisit une, la retourne sur la table et prend un stylo de la poche intérieure de sa veste. Il semble se servir avec

191

précaution de sa main droite. Dans la partie gauche, réservée à la correspondance, il écrit : Ici pour revoir certaines peintures pour mon essai. Pars demain pour Arezzo. Amitiés. Il signe. Dans la partie de droite réservée à l'adresse il écrit Mr et Mme Van Velden, le numéro et le nom de la rue. Il met la carte de côté, reprend les autres, les passe de nouveau en revue, en choisit une qui représente un bambin nu dans les bras d'une Vierge, la retourne. Dans la partie gauche il écrit : Gros baisers de Papa à sa petite Corinne. Dis à Maman que je lui écrirai demain. Ne taquine pas trop Paulou. Il signe, écrit l'adresse d'une propriété dans le Midi, range la carte avec celle qu'il a déjà écrite. Cette fois il reste un long moment à examiner les autres. A la fin il se décide, en prend une sans trop se soucier de ce qu'elle représente, la retourne. Dans la partie réservée à la correspondance il écrit seulement son prénom. Dans la partie réservée à l'adresse il écrit Mademoiselle Odette Pa..., puis s'arrête. Il reste un moment la plume en l'air, le buste penché en avant, puis il se redresse, déchire la carte et en fait de tout petits morceaux qu'il pose dans le cendrier sur lequel sont écrits les mots MARTINI-ROSSI en lettres noires sur une bande blanche qui empiète sur un disque rouge. Il ramasse les cartes non remplies et les range avec son stylo dans la poche intérieure de sa veste. Il met les deux cartes remplies dans la poche droite, extérieure. Puis il sort un paquet de billets de la poche-revolver de son pantalon, en détache un, et l'agitant entre le majeur et l'index appelle le garçon qui débarrasse une table. Le garçon fait signe qu'il va venir et disparaît avec son plateau chargé de verres à l'intérieur du café. O. abaisse le bras qui agitait le billet et pose la main sur le rebord du guéridon. Il regarde la place, la fontaine, les statues. Il regarde ensuite les gens assis à la terrasse autour de lui. A la fin il baisse la tête et regarde le plateau du guéridon devant lequel il est assis. Sur le guéridon est posé son verre au fond duquel un glaçon finit de fondre dans un reste de liquide d'un brun orangé. Le verre et sa soucoupe ont été repoussés sur la gauche du guéridon afin de ménager une surface suffisante pour poser les cartes postales. Le cendrier orné d'un disque rouge a été repoussé vers la droite et en avant. La main qui tient le billet repose sur le côté droit du guéridon, non loin du corps. O. regarde le billet. Son index cache en partie la chevelure et le front d'un personnage barbu dont le visage rappelle un peu celui de Victor Hugo. Sa cravate est un épais ruban noué en forme de papillon. Le bas du billet coupe le buste un peu au-dessus de la pointe inférieure du plastron. Le personnage est représenté en taille-douce dans un gris bleuâtre. O. rapproche le billet de ses yeux et lit, en bas et à droite, en petites lettres blanches sur le fond de hachures gris-bleu qui modèlent le revers du veston G. Verdi. Le milieu du billet est occupé, en haut, par les mots BANCA D'ITALIA. Plus bas, c'est-à-dire à peu près au centre géométrique du billet, le chiffre 1000 est dessiné en gros caractères ornés, bleu-gris, sur le fond d'un disque rosâtre décoré lui aussi de motifs compliqués et à l'intérieur duquel se trouve un autre disque, plus petit et de couleur orange, où est représentée une tête de femme, vue de face, d'un type régulier, comme les têtes des bas-reliefs antiques. De chaque côté du front elle est pourvue de deux courtes ailes sortant des mèches de cheveux dans lesquelles s'entremêlent des serpents.

Le centre du bouclier est occupé par une tête de Méduse sculptée en bas-relief. Le bouclier est en bronze. Sa surface est celle d'une calotte de sphère, légèrement convexe. La matière du bronze est imitée à l'aide d'un ton orangé tirant sur le jaune dans la partie la plus éclairée, sur le brun dans la partie ombrée. Sur les reliefs de la tête de Méduse des touches de blanc presque pur font étinceler le bronze tandis que des noirs accusent les creux. Le bouclier cache le bras gauche, l'épaule, et une partie du torse du guerrier qui se prépare à lancer une javeline, légèrement cambré, le bras droit levé très en arrière, la javeline à peu près horizontale, le buste incliné en arrière en partie caché par le disque du bouclier au-dessous duquel apparaissent les fesses (le guerrier est vu de dos) et les jambes écartées pour trouver une bonne assise. A l'intérieur du V renversé que dessinent les jambes on peut voir : la tête et une partie du buste d'un petit enfant couché sur le sol (le visage de l'enfant est paisible, sa tête est tournée vers le spectateur et le regarde, un de ses doigts est à demi enfoncé dans le coin de ses lèvres), la main d'un homme encore serrée sur la poignée d'un glaive (l'avant-bras, la main et le glaive qui la prolonge coupent le V renversé à peu près à l'horizontale, à la façon de la barre d'un A située un peu plus bas et légèrement de travers. La main tenant le glaive reposant sur un rocher plat, comme une marche, la lame du glaive se trouve au-dessus de la tête du petit enfant. Dans le triangle supérieur du A on peut voir un pied de femme ne touchant terre que par les orteils, au-dessous d'une jupe d'un gris violacé. Plus en arrière, et toujours dans ce même triangle, un autre pied dont on voit la plante tournée vers le haut, comme celui d'une personne agenouillée, ce pied sortant de sous une draperie grise qui se relève sur le talon et retombe ensuite recouvrant l'autre pied dont on distingue toutefois la forme et la position, c'est-à-dire, comme celui qui est nu, la plante tournée vers le haut.

Dans la position (vu de dos et les jambes très écartées) où se trouve le guerrier qui s'apprête à lancer sa javeline on devrait voir les bourses de ses testicules pendant entre ses cuisses. Dans un souci de pudeur, sans doute, le peintre ne les a pas représentées.

Le guerrier nu coiffé d'un casque de pompier et qui brandit au-dessus de sa tête un glaive de carton exhibe avec tranquillité l'espèce de tuyau qui pend de la tache sombre au bas de son ventre. Les détails sont peu distincts, la photo étant légèrement floue, et la touffe de poils est simplement d'un jaune un peu moins pâle que le corps nu. Les jambes du guerrier sont à demi fléchies et il titube comme s'il était blessé, ou ivre. Une femme, drapée dans ce qui semble être un rideau de fenêtre rejeté par-dessus l'une de ses épaules comme un péplum et laissant un de ses seins découvert, le soutient maternellement. Sur l'autre photographie, également prise au magnésium, l'homme barbu, en tricot rayé de marin, assis sur une chaise, le buste renversé en arrière, et qui tient une bouteille à bout de bras, ressemble au guerrier nu. On peut voir des chevalets repoussés dans le fond de l'atelier pour faire plus de place. La lumière de l'éclair de magnésium se reflète sur la surface des peintures accrochées au mur et empêche de voir ce qu'elles représentent. Vers la gauche toutefois, où la lumière ne frappe pas le mur perpendiculairement, on distingue sur une toile les branches d'un arbre. Tout à fait à l'extrême gauche de la photo on peut voir le visage de O. et son buste coupé par la table. Il porte un veston et une cravate. A côté de lui est assise une jeune fille à la chevelure très noire, au visage enfantin. Elle est vêtue d'une robe coupée dans un de ces tissus bon marché, à carreaux roses et blancs, appelés vichy. L'épaule de O. touche celle de la jeune fille. Tous deux regardent l'objectif d'un air surpris, les yeux écarquillés par l'éclat du magnésium. La jambe de la jeune fille touche celle de O. La main de O. repose sur la cuisse de la jeune fille. D'un geste vif celle-ci remonte sa jupe et la main de O. se trouve au contact de la peau nue. La jeune fille dit Allons-nous-en ils sont tous saouls.

Un jour blafard entre par la verrière de l'atelier par laquelle on peut voir un ciel gris, le sommet d'un dôme, des toits de zinc gris-bleu et des rangées de cheminées semblables à des pots de fleurs renversés, ocre ou roses. Sur le mur, au-dessus de la table à modèle, plusieurs toiles sans cadres sont accrochées. Elles sont peintes avec des tons purs, rarement rompus. Parmi elles il y a un paysage avec des arbres et entre les branches apparaissent des éclats de ciel enchâssés, faits d'une pâte grasse, comme de l'émail. Le plancher grisâtre de l'atelier est constellé de taches de couleur, particulièrement nombreuses autour des pieds des deux chevalets. Les taches sont rondes, comme des pains à cacheter, avec parfois une couronne de bavures. Les plus anciennes sont patinées, grisées par la poussière qui s'y est incrustée. Elles ont des teintes pastel. L'une, plus récente, est d'une couleur bleu-noir. A côté s'éparpille une pléiade de taches plus petites aux nuances suaves : rose fané, turquoise, amarante. Puis une vert Nil entourée d'une poussière de petits satellites carmin, géranium. Sur le bord d'une des lames du plancher une écharde de bois a récemment sauté, sur une longueur de cinq ou six centimètres. Elle laisse voir la couleur du bois de sapin, jaunâtre. Un groupe de pastilles sont agglutinées, comme ces grappes de ballons aux teintes acides que l'on promène au bout d'une perche, dans les foires. Le hasard (ou peut-être la patine de la poussière) accorde leurs couleurs dans une harmonie de bleus foncés, bleus pastel et de tons terreux relevée par deux ou trois pourpres et un lilas. Un homme roux est en train de rebourrer le poêle. Par son couvercle ouvert de hautes flammes s'échappent parfois et des étincelles. Le visage rougeaud de l'homme est

encadré par d'épais favoris frisés et surmonté d'une casquette de marinier. O. se tient debout devant la toile
posée sur le chevalet. Une forte odeur de térébenthine
se dégage de la peinture fraîche. Le jeune modèle pivote
sur ses fesses et s'assied, les jambes jointes au bord de
la table. Puis elle se lève et enfile une veste qui est posée
avec ses autres vêtements sur une chaise en avant des
toiles retournées appuyées contre le mur. La robe en
vichy, à carreaux roses et blancs, reste pliée sur la chaise
avec quelques dessous. La veste au tissu rugueux et terne
contraste curieusement avec le visage enfantin. Elle
fouille dans une des poches d'où elle sort un paquet de
gauloises froissé. Elle dit Qui est-ce qui a du feu ? Sortant des manches trop longues ses mains paraissent
minuscules. Le vernis de l'un de ses ongles est écaillé.
O. frotte une allumette et lui en présente la flamme.
Elle se penche un peu en avant, aspire, souffle la fumée
par le nez et dit Merci. Un léger duvet ombre sa lèvre
supérieure. Elle resserre la veste autour d'elle. Le bas
de la veste s'arrête un peu au-dessous de son nombril.
On voit une bande de chair d'un blanc nacré, puis la
touffe de poils noirs et frisés de son pubis. Elle est pieds
nus sur le plancher. Elle lève l'un de ses pieds et le
frotte contre le tibia de l'autre jambe. La plante de ses
pieds est grisée par la poussière, teintée de rose abricot
au talon et près des orteils. Elle tord un peu son pied
et sur le côté la peau se plisse. Elle repose son pied par
terre. Elle fait en direction de la toile un mouvement de
de la main qui tient la cigarette et dit Ça doit être amu-

198

sant j'aimerais bien. O. dit Quoi ? Elle avance le menton
vers le tableau, elle dit Je ne sais pas Toutes ces couleurs. De son avant-bras droit horizontal sur sa poitrine
elle maintient la veste fermée, la main droite est au
creux du coude gauche, l'avant-bras gauche au bout
duquel elle tient la cigarette est un peu relevé. O. dit
Oui. Elle se détourne, va prendre sur le bord de la table
à modèle la tasse de thé que la femme du rouquin lui
a offerte. Dans la soucoupe il y a un biscuit et un morceau de chocolat. La tasse de porcelaine à fond blanc
est bordée d'un liseré rose. Des branches d'amandiers
fleuries la décorent. Il y a aussi de petits personnages en
kimonos verts ou jaunes. Sa cigarette entre l'index et le
majeur de la main droite, tenant la soucoupe et la tasse
de la main gauche, elle prend le morceau de chocolat et
le porte à sa bouche. La veste est maintenant ouverte et
l'on voit le mamelon d'un de ses seins. Du menton elle
désigne de nouveau la toile fraîche. Elle dit Vous n'ai-
meriez pas ? O. la regarde dans les yeux. Ils sont marron.
Elle dévisage O. d'un air circonspect, comme font les
chats. Dans l'épaisseur de la tablette de chocolat on peut
voir la trace de ses dents, comme deux coups de pelle
jumeaux, parallèles, légèrement concaves, deux petites
falaises striées. Ses lèvres sont tachées de brun. Elle boit
une gorgée de thé et passe ensuite sa langue sur ses lèvres.
Les traces de chocolat ont disparu. Elle tire une nouvelle bouffée de sa cigarette et laisse s'échapper la fumée
la bouche ouverte. A l'intérieur on peut voir sa langue
rose.

LA BATAILLE DE PHARSALE

La bouche du guerrier est ouverte. Il vient de lancer son javelot et court. La jambe droite portée en avant, il enjambe le corps d'un soldat déjà tombé. Sa jambe gauche est tendue en arrière. La main droite, au bout du bras à demi plié, se trouve un peu en arrière du corps, à la hauteur des reins, les doigts refermés sur la poignée d'un sabre à la large coquille en forme d'ailes de papillon et grillagée, la lame nue du sabre pointant horizontalement. De son bras gauche tendu en avant il saisit (pour l'écarter de lui, ou le maîtriser et l'enfourcher ?) le mors d'un cheval blanc qui se cabre. A l'exception de sandales dont les longues lanières s'entrecroisent jusqu'au-dessus de la cheville et d'une cape pourpre retenue autour de son épaule gauche, le guerrier est entièrement nu. Le pan de la cape flotte derrière lui. Il n'a ni bouclier ni aucune pièce d'armure. Seule sa tête est protégée par un casque sculpté imitant la mâchoire supérieure d'un lion dont les crocs enserrent le front et dont la crinière ondule dans le vent de la course. Le haut du buste est tourné vers la droite, tandis que le bas du corps, du fait que la jambe droite se porte en avant, est un peu tourné vers la gauche, de sorte que l'on voit à la fois la poitrine, le ventre, et les deux fesses. Cette figure est empruntée à une composition de Polidoro da Caravaggio. Dans quelques instants le guerrier va recevoir un coup de glaive qui entrera par sa bouche ouverte. La pointe du glaive ressortira par la nuque. Une flèche est plantée un peu au-dessous de l'omoplate gauche dans le dos d'un soldat mort. Le bois de la flèche est cassé et la partie visible n'a que quelques centimètres de long. Cependant son ombre s'étire démesurément et va se perdre, au-delà des épaules, dans la zone obscure où la tête affaissée disparaît, ce qui indique que le soleil à ce moment est bas sur l'horizon et que la journée tire à sa fin. L'ombre du pilier métallique à croisillons qui s'étire sur le quai commence à glisser en arrière et s'éloigne, lentement d'abord, puis à vitesse croissante. Une autre ombre identique lui succède, s'éloignant à vitesse croissante, puis une troisième qui passe rapidement et le wagon sort de sous la verrière. Sur un grand panneau planté entre les voies on peut lire en lettres blanches sur fond bleu V E R O N A. Peu après le train franchit un passage à niveau dont la barrière abaissée contient une petite foule de cyclistes et quelques automobiles. Dans le contre-jour les parties chromées des bicyclettes et des automobiles étincellent. O. rentre dans son compartiment. Il est maintenant occupé par un homme qui annote des papiers et une jeune femme. O. prend dans le filet le livre qu'il y avait posé, s'assied, et l'ouvre à une page qu'il a marquée à l'aide d'une carte postale. Il lit : Tout pour l'artiste allemand est au même plan dans la nature. Il sera capable d'étudier chacun des éléments qui nous la font aimer avec une patience, une science, une conscience supérieure à celle qu'y déploient l'Italien, le Français, le Hollandais, le Flamand, sinon le Japonais et le Chinois, avec une sensibilité égale à la leur. Il ne saura pas comme eux donner en elle à chaque chose l'importance qu'elle a dans nos préoccupations, exprimer en généralisations plastiques les émotions sensuelles, intellectuelles ou morales qu'elle lui procurera. On pourra, chez deux ou trois d'entre eux, sentir une grande âme, elle ne saura jamais se définir et jamais... Le train donne un violent coup de frein, ralentit, ralentit encore, et, finalement, s'arrête. Ce n'est pas encore la pleine campagne. Le bas du remblai est contenu par une palissade faite de vieilles traverses, noires, taillées en pointe. Une épaisse végétation d'orties cache le pied de la palissade. A moitié recouvertes par les orties apparaissent les taches bleues ou orangées d'ustensiles de ménage — brocs, marmites en fer émaillé — hors d'usage et jetés là.

Corinne pleure. L'un de ses mollets est rosi et on voit de petites cloques. O. se baisse, regarde, et dit Ce n'est rien ça va passer. Corinne dit Ça fait mal. O. répète Ce n'est rien. Corinne dit Ça brûle. O. se penche et la hisse à cheval sur ses épaules en disant Hop là ! Il tient les deux mains de part et d'autre de sa tête et part dans le chemin en sautant comme un cheval qui galope. Les joues encore brillantes de larmes Corinne rit. Au bout d'un moment O. est essoufflé et s'arrête. Corinne dit Encore. O. dit Papa est fatigué. Corinne dit Ça brûle ça fait mal c'est Paulou qui m'a poussée. O. dit Vilaine menteuse il est deux fois plus petit que toi. Corinne dit Si il m'a poussée et recommence à pleurer. Elle dit Ça pique ça brûle. O. repart en imitant de nouveau le galop d'un cheval. Corinne rit.

De hautes herbes sauvages et des orties montent presque jusqu'au moyeu de la roue de fer rouillée. Un faible

vent souffle par bouffées. Au passage il chuinte légèrement dans l'assemblage compliqué de tiges, de chaînes,
de pignons, de roues dentelées et de tringles qui se dresse
sur le terre-plein d'une ferme abandonnée, à la lisière
d'un champ de coton. Au stade de délabrement et, pour
ainsi dire, de décomposition où elle se trouve il est difficile de se représenter la machine dans son état primitif.
Pour une raison quelconque (la rupture d'un essieu ou
l'enlèvement de certaines pièces) l'ensemble a basculé
sur un côté, comme un bateau échoué. Les poussées de
vent font osciller une plaque de tôle (carter ?) rouillée,
en forme de triangle aux coins arrondis et légèrement
creuse, comme une grande cuvette, qui ne tient plus que
par un écrou à demi dévissé. La plaque bat à intervalles
irréguliers, comme une porte, avec un tintement métallique, accompagné chaque fois d'un grincement.

O. feuillette un livre à la recherche d'une phrase dont
il croit se rappeler qu'elle se trouvait dans le haut d'une
page, à droite. Il lit quelques lignes. Ce ne sont pas
celles qu'il cherche. Il est parfois entraîné par sa lecture plus qu'il n'est nécessaire. Mais il l'interrompt,
tourne la page, et lit de nouveau : une certaine migraine
certains asthmes nerveux qui perdent leur force quand
on vieillit. Et l'effroi de s'ennuyer sans doute / le ciel
paresseux et trop beau qui ne trouvait pas digne de
lui de changer son horaire et au-dessus de la ville endor-
mie prolongeait mollement en ces tons bleuâtres la
journée qui s'attardait le vertige / grands hôtels où on a
pu voir les juives américaines en chemise serrant sur leurs

seins décatis le collier de perles qui / une gradation
verticale de bleus glaciers Et les tours du Trocadéro qui
semblaient si proches des degrés de turquoise / n'avaient
été que des querelles particulières n'intéressant que la
vie de cette petite cellule particulière qu'est un être Mais
de même qu'il en est des corps d'animaux

Un coup de vent plus fort rabat brutalement la plaque
qui résonne en heurtant les pièces voisines. Ce mouvement, plus violent que les autres, fait sans doute sauter
le dernier boulon qui la retenait car lorsqu'un remous
d'air en direction contraire s'engouffre dans l'enchevêtrement de barres et de tringles la plaque se détache, heurte
l'essieu avec un bruit de chaudron et tombe sur le sol
au-dessous de la machine. Tout autour de la plaque maintenant à plat sur la terre il y a une couronne d'herbes
froissées et couchées. Un trou rond percé dans la plaque,
pas tout à fait en son centre, laisse passer une touffe
d'herbe intacte, comme des cheveux verts.

reprit son premier croissant le matin où les journaux
narraient le naufrage du Lusitania tout en trempant les
croissants dans le café au lait et donnant des pichenettes
à son journal pour qu'il pût se tenir grand ouvert sans
qu'elle eût besoin de / toujours particulièrement instruit
des tares sexuelles il les connaissait chez quelques-uns qui
pensant qu'elles étaient ignorées chez eux / ce régent de
collège beau parleur et fort instruit et j'avoue que c'est
fort touchant à son âge et diminué comme il l'est de /
parents qui étaient souvent concierges ou valets de chambre sans nécessité des amants jaloux qui avaient cru par-là

garder pour eux seuls un jeune homme qu'ils / encre qui
avait paraphé la neutralité de la Belgique était à peine
séchée Lénine parle mais autant en emporte le vent de la
steppe c'étaient des trivialités telles que

Deux garçons se poursuivent en courant. Ils arrivent
sur le terre-plein d'une ferme abandonnée. Une moissonneuse-lieuse démantibulée et rouillée, penchant sur
un côté, dresse sa carcasse à la limite du terre-plein, près
de la lisière d'un champ de coton. Le plus grand des
garçons l'atteint le premier, l'escalade, et s'assied sur
le siège en forme de feuille de nénuphar, fixé au bout
d'une tige de fer et qui domine l'ensemble. Il fait des
bruits avec sa bouche et actionne la poignée du frein,
tirant légèrement sur le câble métallique qui part de sa
base et se perd en serpentant à l'intérieur de l'enchevêtrement compliqué de tringles, de barres et d'essieux.
La tête levée le plus petit le regarde. S'accrochant aux
fers rouillés il entreprend à son tour l'escalade de la
machine. Le plus grand abandonne brusquement son
siège, saute à terre et court vers les bâtiments de la ferme
dont il fait le tour. Le plus petit est maintenant installé
sur le siège, imite avec sa bouche les bruits que faisait
le grand et manœuvre la poignée du frein. Au bout d'un
moment il se retourne et voit l'autre gamin debout,
maintenant immobile, près d'un des murs sur lequel s'es-
crime sa main armée d'un caillou pointu. Le plus petit
quitte son siège, descend de la machine et rejoint l'autre.
Celui-ci achève de graver dans le crépi du mur un ovale
légèrement incliné, ou plutôt le contour d'une lentille

convergente vue en coupe. Il tire la langue avec appli-
cation. Sous la pointe du caillou le crépi du mur s'effrite,
de sorte que les traits sont bordés de petites échancrures
irrégulières. Le gamin entoure ensuite l'ovale de rayons
divergents, comme ceux d'un soleil, ou des cils autour
d'un œil. De temps en temps il jette de rapides regards
à droite et à gauche pour s'assurer que personne ne vient.
Il cligne de l'œil à son camarade qui le regarde faire puis,
un peu au-dessus et à droite du soleil ovale, il écrit en
lettres majuscules et irrégulières le mot MOUNA. Le
crépi de chaux autrefois blanc est gris, jauni par endroits.
Les traits en creux dénudent la matière du mur faite
d'un torchis de couleur terreuse.

tous ces grands valets de pied qui avaient deux mètres
de haut et qui ornaient les escaliers monumentaux de
nos belles amies ont été tués engagés pour la plupart
parce qu'on leur répétait que / plus obscure que le boulevard et où cependant celui-ci ne cessait de déverser à
moins que ce ne fût vers lui qu'ils affluassent des soldats
de toute arme et de toute nation influx juvénile com-
pensateur et consolant pour / projecteurs promenaient
lentement vers le ciel sectionné comme une pâle poussière d'astres d'errantes voies lactées Cependant les aéro-
planes / tandis qu'il se préparait virilement nous nous
sommes abîmés dans le dilettantisme Le mot signifiait
probablement / le 43 doit être libre dit le jeune homme
qui était sûr de ne pas être tué parce qu'il avait vingt
ans Et il se poussa légèrement sur le sofa pour me faire
place Si on ouvrait un peu la fenêtre il y a une fumée ici

LA BATAILLE DE PHARSALE

Le gamin se recule de quelques pas pour juger de son œuvre. Sans doute pas entièrement satisfait il s'approche de nouveau et dessine au centre de l'œil et dans le sens de l'axe le plus long un signe en forme de V renversé aux branches très fermées. Il cligne de nouveau de l'œil dans la direction du plus petit, jette son caillou, après quoi debout devant le mur, faisant face à son dessin, le bassin porté en avant, il fait aller et venir plusieurs fois sa main à demi refermée sur un invisible tuyau perpendiculairement à son entrejambe en même temps qu'il donne de petits coups de reins d'avant en arrière. Puis, éclatant de rire, il donne une bourrade à son camarade et part en courant. Le petit court à sa poursuite. Le plus grand se retourne brusquement et lui fait un croche-pied. Le petit tombe à terre et le grand se jette dessus. Ils luttent en roulant sur eux-mêmes et en essayant d'assurer leurs prises. Leurs visages se congestionnent et leurs respirations s'accélèrent. Leurs têtes touchent presque le bouquet d'orties qui monte jusqu'au moyeu de la roue de fer de la machine. Le plus grand parvient à s'installer sur le plus petit dont il a retourné l'un des bras derrière le dos. Ils sont tous les deux très rouges et cherchent à reprendre leur souffle. Ils restent ainsi un moment sans que l'on entende autre chose que quelques onomatopées victorieuses lancées par le grand, le bruit accéléré de leurs respirations et, par moments, un léger chuintement que fait le vent en s'engouffrant entre les tringles de la machine. Le plus grand regarde alors à droite et à gauche pour voir si personne ne vient. Il assure alors plus solidement sa prise, puis entreprend de déboutonner la braguette du petit. En même temps il fait entendre un rire entrecoupé par son souffle encore rapide. Le petit se débat et essaie de le repousser à l'aide de sa main libre. Le grand tord alors un peu plus le bras retourné et l'autre incline ses épaules sur le côté en criant. Le plus grand finit de déboutonner la braguette et farfouille à l'intérieur. Il continue à jeter à droite et à gauche des regards vigilants. Il sort de la braguette la bite du plus petit qu'il se met à caresser d'un mouvement de va-et-vient. Le petit essaye encore de se dégager par des secousses, puis cesse de bouger. Penché sur lui, la tête maintenant tout près de son visage le plus grand lui parle en tordant un peu sa bouche. Dans la main qui continue à aller et venir la bite se met à raidir. Le plus grand rit et accélère les mouvements de sa main. Sous les jantes rouillées des roues de fer et sur quelques parties de la machine que la pluie ne peut atteindre, des croûtes de terre séchée, jaunâtres, adhèrent encore.

Des terrassiers creusent une tranchée ouverte dans le trottoir. La terre rejetée le long de la tranchée s'amoncelle en un talus jaune. Les terrassiers ont retiré leurs chemises. Certains portent des tricots de corps d'un blanc sale, parfois troués, ou gris-bleus. D'autres ont le buste nu. Sous la peau les muscles ont des formes rocailleuses. Sur les biceps de certains, ou la poitrine, sont tatoués divers motifs : ancres, roses des vents, calvaires, sirènes. Les tatouages bleutés se détachent sur la peau blanche. La peau des avant-bras est hâlée, d'un brun rougeâtre, ainsi que celle des visages. Autour du cou une ligne nette délimite le hâle, de sorte que les têtes semblent avoir été coupées puis recollées, comme si elles appartenaient à un autre corps. Des litres de vin à demi vidés sont posés sur les déblais, généralement protégés du soleil par une veste ou une musette. A travers le verre transparent, d'une teinte verte, on peut voir le liquide rouge foncé, presque violet. La surface du liquide coupe en biseau le cylindre de la bouteille posée obliquement. De petites bulles roses sont agglutinées à la surface du liquide, groupées contre les parois. Seuls les bustes des terrassiers sortent de la tranchée dont le bord les coupe à la taille. Des torses nus d'hommes et de femmes jaillissent de tombes ouvertes, achevant de rejeter les dalles. Un soleil nordique, blanc dans le ciel vert sombre, illumine la scène, projetant sur les dalles, les corps, une couche de lumière crue, neigeuse. Un homme étire son buste maigre, élevant ses deux bras vers le soleil. Chacun de ses deux poignets est entouré par un large bracelet de fer. Deux morceaux de chaînes partant des bracelets décrivent dans l'air deux courbes sinueuses. A chacune de leurs extrémités on peut voir un maillon brisé. X. fait remarquer à O. que le mot inscrit dans le haut du timbre, au-dessus des chaînes brisées n'est pas MEMEL mais CESKOSLOVENSKO. Un homme au torse efflanqué, les côtes saillantes, élève ses deux bras au-dessus de sa tête. Il est dessiné de façon schématique, le nez en quart de brie, les tempes et les méplats des joues taillés dans du bois. Sa bouche est grande ouverte. Les couleurs sont rouge brique pour les parties ombrées et ocre pour les plans éclairés. L'un des poings levés se referme sur la poignée d'un fusil dessiné lui aussi de façon schématique. La légende de l'affiche consiste en un seul mot imprimé en grandes lettres noires sur le fond blanc : VENCE-REMOS. Cette affiche est collée plusieurs fois sur le mur d'une église. Au-dessus des fenêtres aux vitres brisées les pierres du mur ont été récemment noircies par la fumée d'un incendie. Sous la rangée de bustes nus brandissant le fusil on peut voir d'autres affiches dont plusieurs exemplaires sont également collés côte à côte. L'une d'elles répète ainsi à intervalles réguliers le mot DOLOR DOLOR DOLOR. Un cortège de manifestants emplissant toute la largeur de la chaussée apparaît dans le bas de la rue. Au-dessus des têtes s'agitent plusieurs drapeaux, certains rouges, d'autres noirs, ainsi que des pancartes et des banderoles avec des inscriptions rouges sur fond blanc. Les automobiles s'arrêtent et se rangent sur le côté de la chaussée pour laisser la place au cortège. Lorsqu'ils le peuvent, certains automobilistes bifurquent dans des voies transversales. Les drapeaux, les pancartes et les banderoles oscillent diversement, au rythme des pas et selon le degré de fatigue des porteurs. Vue de loin la masse des manifestants est claire avec dominante de kakis. Au fur et à mesure que la tête du cortège approche les couleurs se diversifient : chemises ou blouses, pantalons de velours côtelé vert olive, blue-jeans délavés, tricots beiges, bleu ciel, gris, blousons cachou ou marine. Des cris confus, parfois scandés en chœur, parfois désaccordés, s'élèvent de la masse. Les manifestants du premier rang se donnent le bras, formant comme les anneaux d'une chaîne, de façon à présenter un front continu. Cette formation les oblige à marcher du même pas, mais, derrière, chacun marche à son gré (seuls quelques groupes de trois ou de quatre se donnant aussi le bras) de sorte que les têtes montent et descendent irrégulièrement. Quoique la plupart des manifestants portent des pantalons on s'aperçoit, en les voyant de près, que beaucoup d'entre eux sont des jeunes filles. Les cheveux de certains des hommes sont aussi longs que ceux des filles. Beaucoup d'entre eux ont le visage orné d'une barbe, souvent bouclée et à deux pointes comme celle de Jésus-Christ sur les peintures le représentant. Plusieurs ont la tête protégée par un casque rond, blanc, parfois orné d'une raie médiane bleue ou rouge. Ces casques sont faits d'une matière lisse et brillante. Ils ont des jugulaires en cuir qui sont généralement dénouées et pendent en se balançant de chaque côté des visages. La tête du cortège arrive à la hauteur de la porte d'une caserne. Sur le côté de la porte un militaire en uniforme sombre monte la garde. Des injures et de violentes huées partent du cortège à son adresse. Effrayé par les cris un pigeon s'envole. Son corps aux ailes déployées passe devant une fenêtre au cinquième étage de l'un des immeubles qui bordent la rue. Un des vantaux de la fenêtre est entrouvert. Le rideau tiré ne laisse passer qu'une lumière atténuée. O. voit le corps penché au-dessus d'elle, comme planant sur l'air, la poitrine et le ventre dans l'ombre, les deux bras

écartés à demi repliés en avant, les deux jambes à demi
repliées et écartées comme s'il chevauchait une invisible monture, les couilles pendantes entre ses cuisses,
le membre raidi touchant presque le ventre. Partant de
la broussaille de poils jaunâtres qui couvre la poitrine,
une ligne ébouriffée divise le torse en deux et rejoint le
buisson roux qui flamboie au bas du ventre. Les deux
mains prennent appui sur le lit de part et d'autre des
épaules d'O. Les deux tibias horizontaux reposent sur
le lit, entre les pieds d'O. La peau du corps est très
blanche, laiteuse, parsemée de taches de son sur les
épaules. Le corps dans son ensemble forme une masse
bosselée, rocailleuse. La tête est séparée du tronc par une
ligne nette, un peu au-dessus des épaules, à partir de
laquelle la peau, ainsi que celle du visage, est d'une couleur brique, comme si la tête était faite d'une autre
matière que celle du corps, comme celle d'un guillotiné
que l'on aurait recollée, le passage du couperet nettement visible dessinant autour du cou la ligne de séparation. La peau du visage, ainsi que celle des mains, est
plus rugueuse que celle, très lisse, du corps. Au bout
du membre raidi et tendu, la peau du fourreau, d'un
léger bistre, découvre à demi le gland, l'entourant d'une
couronne au milieu de laquelle saille la pointe, en forme
d'ogive, d'une teinte rose et percée au centre de son
orifice, comme un œil aveugle. Les bras supportés par
les mains à plat sur le drap de part et d'autre des épaules
d'O. fléchissent, de sorte que la poitrine broussailleuse
s'abaisse, les poils jaunes frôlent d'abord les pointes des

seins d'O. qui se durcissent, puis les frottent, les froissent, les mamelons durcissent encore. O. cambre les reins
de façon à amener son ventre au contact de l'autre ventre,
ne touchant alors plus le lit que par ses épaules et la
plante des pieds, les cuisses écartées, ses jambes maintenant dans la position de celles d'une danseuse acrobatique exécutant la figure appelée le pont. L'homme
bande tellement qu'elle est obligée de tirer légèrement
le membre vers le bas pour l'introduire en elle. Au
moment précis où il pénètre dans son con sa bouche
fait entendre un bruit étranglé, comme si elle suffoquait,
s'étouffait. Pendant un moment, tandis que l'homme reste
presque immobile, elle fait lentement onduler et tourner
son bassin sous lui, le membre raidi et dur bougeant en
elle, tournant, se retirant légèrement, s'enfonçant de nouveau. Sa respiration se fait plus rapide. Elle a les lèvres
entrouvertes, les coins légèrement retroussés dans un
demi-sourire enfantin. Ses yeux sont fermés. Le sourire
découvre un peu ses dents entre lesquelles apparaît le
bout rose de sa langue. Une femme osseuse au long nez
dans un visage plâtré et ridé entouré de frisettes, vêtue
d'une robe de soie à fond vineux et beige semé de petits
points bruns et d'un tricot d'un blanc jaunâtre, avance
sur le trottoir d'une démarche difficile, ses pieds chaussés
d'escarpins noirs à barrettes les pointes en dedans. Un
homme en veste de tweed marron à petits carreaux passée
sur un polo bleu ciel, à la moustache poivre et sel dans
un visage ridé quoique encore jeune, sort du métro et
tourne à gauche. Deux garçonnets portant le même

213

maillot aux rayures horizontales bleues et roses, le plus
grand, un peu plus gras aussi, portant une culotte bleu
foncé, l'autre une culotte olive, marchent très vite en
discutant et remuant les mains. Viennent ensuite : une
jeune femme en robe bleu foncé, bras nus, portant sur
le bras droit son enfant vêtu de bleu clair et tenant dans
sa main l'anse d'un seau à pâtés orange, une pelle et
un râteau rouge et jaune dépassant du seau ; un monsieur chauve, mèche de cheveux noirs ramenée et collée
sur le crâne, complet bleu, cravate bordeaux rayée en
oblique ton sur ton et maintenue par une barrette : il
marche de façon décidée, à grands pas ; un jeune homme
à lunettes, aux cheveux ondulés, aux chaussures de daim
gris, pantalon gris, veste bleu foncé, marchant les deux
coudes collés au corps, les avant-bras horizontaux, les
mains se rejoignant, tenant un papier (une lettre ?) ; une
Indochinoise en robe de soie marron fendue sur les
côtés, les basques flottantes sur un pantalon de soie
noire : elle pousse une petite voiture dans laquelle est
assis un enfant ; celui-ci tient sur ses genoux un ballon
blanc décoré de pois noirs de forme hexagonale, les roues
de la voiture, mal huilées, font entendre un grincement
régulier, aigu, qui décroît par degrés tandis qu'elle s'éloigne. Sort du métro une femme de soixante ans environ,
aux cheveux filasse en désordre, au visage jaune et ridé,
vêtue d'un tricot vert orné sur le devant de quatre
bandes jaunes (deux de chaque côté), un foulard d'un
rose fané autour du cou. Le tricot est passé par-dessus
une robe où, sur un fond crème, sont dessinées des

feuilles de sapin stylisées, comme des arêtes de poissons. Ses jambes sont enflées, dans des bas crème. Ses pieds, enflés aussi, sont chaussés de sandales à lanières. Elle fait demi-tour et marche jusqu'à la corbeille à papiers qui se trouve sur le trottoir un peu en arrière de la bouche du métro. Elle extrait d'un cabas des choses enveloppées dans de vieux journaux et les tasse dans la corbeille. Elle essaie de refermer le couvercle mais celui-ci, repoussé par le contenu de la corbeille trop pleine, se relève chaque fois à quarante-cinq degrés environ. A la fin elle y renonce et s'éloigne en traînant les pieds, le dos voûté Brusquement l'homme allonge ses jambes et la masse de chair et d'os qui domine O. s'affale sur elle, la plaquant sur le lit. Des deux poitrines l'air s'échappe violemment. L'homme fait entendre un son rauque. O. dit Ahahahah, puis, très vite, replie ses deux cuisses contre son buste, les genoux touchant presque ses épaules, tandis que sa main qui se crispait dans la chevelure jaune s'en détache, le bras s'allongeant, la main descendant le long du corps, contournant sa cuisse repliée, sa fesse, atteignant la base du membre enfoncé en elle, gluante maintenant du jus qui s'échappe par saccades de son con, coule plus bas entre ses fesses. Malgré les allées et venues ininterrompues du pénis, elle assure sa prise et dans un moment où l'homme s'écarte d'elle elle tire la peau en arrière de façon à dégager complètement le gland. Lorsque celui-ci s'enfonce de nouveau en elle sa gorge fait entendre le même bruit étranglé, puis elle se met à dire très vite des mots entrecoupés. L'un des ressorts du sommier grince légèrement. Quelqu'un marche à l'extérieur du couloir. O. dit Chut ! et s'immobilise. Les deux corps restent ainsi, comme changés en pierre, dans la position exacte où ils se trouvaient quand elle a entendu les pas, le membre raidi et luisant de l'homme à moitié enfoncé en elle. On frappe à la porte. L'homme esquisse un mouvement pour se dégager mais O. le serre violemment, l'emprisonne dans ses bras minces. Aucun son ne sort de sa bouche mais ses lèvres s'avancent dans une moue, comme si elle faisait Chchch-chuuu..., son visage enfantin parfaitement immobile aussi, les deux prunelles glissées maintenant en coin, regardant dans la direction de la porte. Quatre ou cinq autres militaires revêtus du même uniforme sombre sont sortis de la caserne. Ils se tiennent maintenant debout, les mains derrière le dos, devant le porche où ils ont fermé un des battants de la grille de fer. Ils regardent défiler les manifestants. Au fur et à mesure de leur passage ceux-ci injurient les militaires et tendent le poing dans leur direction. Sur les trottoirs les passants tenant une baguette de pain à la main ou des paquets se sont arrêtés et regardent le cortège avec curiosité. Des gens se sont mis aux balcons. D'autres sont sortis des maisons et se tiennent en petits groupes devant les portes des immeubles. Certains manifestants semblent fatigués. Le cadran de l'horloge pneumatique à côté de la bouche du métro marque dix-huit heures quarante. Aucun voyageur ne sort du métro dont la grille d'entrée est fermée. Les manifestants défilent pendant un peu plus de cinq minutes. La queue du cortège s'éloigne. Les gens disparaissent des balcons. Les curieux sur le pas des portes restent parfois là, formant de petits groupes qui discutent. Les passants qui s'étaient arrêtés reprennent leur marche. Au bout de la rue on ne voit plus maintenant qu'une masse indistincte, de nouveau couleur kaki et au-dessus de laquelle oscillent diversement les drapeaux et les pancartes. Lorsqu'ils traversent le dernier carrefour où frappent encore les rayons du soleil les notes rouges des drapeaux s'avivent, le rouge devenant plus orangé, puis il s'éteint. O. regarde disparaître la queue du cortège. Dans un froissement d'air remué un pigeon vient se poser non loin de O. qui se tient debout sur le trottoir, replie ses ailes et s'éloigne en piétant. L'asphalte dont est revêtu le trottoir est d'une matière légèrement granitée. Incorporés au bitume de minuscules cailloux de formes arrondies ou ovales pointillent la surface de petites taches bleues, roses, rouge brique ou ocre. Mais de même que la masse des manifestants était dans son ensemble kaki, ces éléments ne se différenciant que de près, les couleurs des petits cailloux n'apparaissent que si l'on regarde avec attention, la teinte générale du trottoir étant d'un gris souris. La queue du cortège a maintenant disparu. Pendant quelques instants parviennent encore les échos des cris et des slogans scandés allant s'affaiblissant. Ils sont bientôt couverts par le tapage des avertisseurs des automobiles qui recommencent à circuler et cherchent à s'ouvrir un passage dans un encombrement qui s'est formé au carrefour. Sur les façades des immeubles orientés vers le couchant l'ombre des maisons qui bordent le côté opposé de la rue atteint maintenant les fenêtres des cinquièmes étages. Le petit groupe en uniformes sombres devant le porche de la caserne a disparu et la sentinelle est de nouveau seule.

Les deux hommes regardent l'ami de O. qui parle rapidement en grec. Ils l'écoutent avec attention. L'un d'eux est corpulent, en manches de chemise, et porte un tablier bleu foncé noué autour de sa taille. L'autre ressemble à un Charlot maigre. Il porte une petite moustache, une chemise grise au col boutonné, dont il n'a pas retroussé les manches, et un tablier à bavette, gris lui aussi. O. est sorti de la voiture et est allé se mettre dans l'ombre d'un mur. L'ami de O. se tourne vers lui et lui dit en français C'est tout ce qu'ils savent Le petit dit que c'est la bataille de où les Grecs ont perdu leur indépendance Il l'appelle la bataille de Kynos Képhalai Il dit que cette colline s'appelle Krindir parce qu'en grec... O. dit Explique-lui que ce n'est pas cette bataille, que c'était une bataille seulement entre des Romains Dis-lui que le type s'appelait Jules César. L'ami de O. se tourne de nouveau vers les deux hommes. Leurs visages sont tendus par l'attention. A la fin le plus gros étend le bras et montre la campagne à droite. O. dit Qu'est-ce qu'il dit ? L'ami de O. traduit Il dit qu'il n'a jamais entendu parler de ce Jules César mais que tous les champs de ce côté s'appellent les Καίσαρες c'est-à-dire les Césars. O. dit Si seulement il pouvait faire un peu moins chaud Bon allons-y. Au-delà du pare-brise tournoie un nuage de poussière blanche empêchant toute visibilité. O. ralentit encore l'allure de la voiture qui roulait lentement sur la route empierrée creusée de nids de poule. Peu à peu le nuage s'éclaircit et l'on distingue, s'éloignant, l'arrière d'une petite camionnette peinte en bleu ciel, grise de poussière. Le conducteur de la camionnette ne semble pas se soucier de l'état de la route et la petite voiture rebondit dans les trous. On peut lire une inscription en lettres blanches sur les battants qui ferment l'arrière de la camionnette. L'ami de O. se met à rire. Il dit : Καλλυντικὰ καὶ Εἴδη Προικός, tu ne devineras jamais ce que ça veut dire. O. hausse les épaules et écarte une de ses mains du volant en signe d'ignorance. Il s'efforce de retenir sa respiration pour ne pas avaler trop de poussière. Καλλυντικὰ καὶ Εἴδη Προικός ! répète son ami, ça veut dire : Produits de beauté et Articles ou Fournitures pour dots ! A ce moment la camionnette atteint le sommet du petit col entre la colline la plus avancée et les autres, et disparaît.

Soulevée par un mobile (un simple point) qui se déplace horizontalement, une traînée de poussière gagne progressivement le long du pied des collines. Sa pointe avance avec rapidité. Tout d'abord concentré et dense le nuage s'élève peu à peu en se diluant. L'absence totale de vent fait qu'il stagne longtemps tandis que sa transparence s'accentue. Parvenu à une certaine hauteur le nuage étiré émerge de la zone d'ombre projetée par la colline. Sa partie supérieure se teinte d'orangé, faisant apparaître plus bleue la partie dans l'ombre. Suivant le bas des collines dont les derniers contreforts plongent dans la plaine parfaitement plate, comme une mer, le mobile traînant sa queue de poussière contourne par la droite le champ de bataille de Pharsale. Il disparaît derrière l'épaulement de la colline pierreuse sur laquelle se tiennent O. et son ami. O. est debout sur une pierre ou plutôt une dalle à la surface légèrement inclinée. La dalle est blanche. Des lichens la parsèment de taches rondes, d'un jaune vert ou noires, comme des taches sur un buvard constellant le fond blanc nuancé d'un léger rose. De longues herbes sèches poussent entre les bords de la dalle et les contours des grosses pierres voisines. De place en place des buissons vert sombre prennent racine dans les interstices. De petits oiseaux gris volent parfois de l'un à l'autre. La trajectoire de leur vol est rectiligne. En s'élançant ils poussent un cri semblable au bruit que peut faire une poulie mal graissée tournant très vite.

O. traduit un texte latin. Il est assis sur une chaise dans un bureau mal éclairé où flotte une odeur sucrée de moût distillé et d'alcool. Ses pieds reposent sur un carrelage composé de losanges noirs, gris et blancs qui dessinent des cubes vus en perspective et accolés. Selon la façon dont on les regarde les cubes semblent basculer dans un sens ou dans l'autre. Une main osseuse et tavelée, tenant un petit cigare entre l'index et le majeur, pianote avec agacement sur les papiers en désordre à côté du livre de textes latins ouvert que O. y a posé. La voix de O. hésite. Elle s'interrompt presque entre chaque

220

mot et O. jette alors un regard rapide sur le visage maigre dont il ne peut voir les yeux cachés par un reflet sur les lunettes. O. dit : noster equitatus — notre cavalerie — non tulit — ne supporta pas, ne soutint pas — impetuum quorum — le choc desquels. A ce moment O. s'arrête et regarde de nouveau le visage maigre. La main qui tient le petit cigare s'élève jusqu'à la bouche. Dans la pénombre l'extrémité du cigare s'avive de rouge. En même temps qu'elle rejette la fumée la bouche dit : Continue. O. baisse à nouveau les yeux sur son cahier et dit : sed — mais — motus loco — partant, s'en allant de l'endroit — cessit — elle recula — paulum — peu à peu. O. se tait. Dans un nouveau nuage de fumée la voix dit : Eh bien tu vois que quand tu veux bien faire un effort ce n'est pas si difficile. Maintenant si tu essayais de dire ça autrement qu'en petit nègre ? Un autre petit oiseau gris s'envole d'un buisson vert foncé. Il part en ligne droite, tendue, légèrement oblique, cesse de battre des ailes. La ligne s'infléchit vers le bas. Il bat de nouveau des ailes. La ligne remonte. Ainsi de suite trois fois et il disparaît. La branche d'où il s'est élancé reprend son immobilité. L'ombre de la colline commence à s'allonger sur la plaine. Une troupe de cavaliers descend au pas le flanc de la colline. Le chemin est étroit et en forte pente. Les cavaliers sont obligés de se suivre en file indienne. L'angle prononcé de la pente donne aux chevaux une démarche déhanchée, raide. Les cavaliers sont fatigués et se laissent aller. Légèrement penchés en arrière sur les selles les bustes sont cahotés et se dandinent avec

221

raideur. Le soleil a disparu. Un hameau de cinq ou six maisons se trouve au bas de la colline. O. se trouve en queue de la colonne. Au moment où celle-ci arrive non loin des premières maisons des coups de feu et des rafales de mitrailleuses se font entendre sur la gauche. La tête de la colonne déjà sortie du hameau prend le galop à travers champs vers la droite. Tout en pressant son cheval O. aperçoit des petites autos et des side-cars arrêtés sur la route d'où partent les coups de feu. O. finit de franchir au galop la courte distance qui le sépare du hameau. Sur la petite place que forment les maisons, des cavaliers, la voiturette de la mitrailleuse et ses conducteurs se mêlent dans une grande confusion. Une forte explosion retentit et O. voit deux chevaux gisant à terre. Au milieu d'autres cavaliers O. sort du hameau et galope à la suite de la tête de l'escadron. Il oblique à droite et franchit un talus. Le cheval du cavalier à côté de lui butte et roule à terre. Le cavalier crie. O. tourne la tête et le voit se relever. Le cheval toujours à terre lance des ruades. L'attelage de la voiturette de la mitrailleuse survient et en franchissant le talus renverse le cavalier. O. peut voir la voiturette escalader aussi le talus en bondissant. Les conducteurs de l'attelage fouettent les chevaux à tour de bras. O. cesse de regarder en arrière. Quelqu'un crie de retenir les chevaux. Des balles passent en faisant un bruit bizarre, comme des claquements métalliques. O. croit qu'elles sont tirées trop bas et frappent les fers des chevaux. Il regarde les sabots qui arrachent des mottes de terre. Il fait de nouveau soleil. Les ombres plates des chevaux galopent au-dessous d'eux et à droite, surmontées par celles des bustes des cavaliers aplatis sur l'encolure. Galopant toujours ils approchent de la voie ferrée. Ils s'aperçoivent alors que les buissons qui la bordent sont trop épais pour pouvoir être franchis. La troupe au galop oblique alors vers la gauche, remontant le flanc d'une colline en longeant les buissons et la voie ferrée. Brusquement O. voit devant lui une profonde tranchée au fond de laquelle brillent les rails du chemin de fer. Il donne alors un coup d'éperon dans le flanc gauche de son cheval en même temps qu'il le force à tourner son encolure vers la gauche. Emportés par la vitesse cheval et cavalier tombent dans la tranchée qu'ils dévalent en glissant sur le flanc, O. se maintenant toujours en selle. O. devine confusément autour de lui les formes de chevaux et de cavaliers qui dégringolent en roulant le long de la paroi de la tranchée. O. est désarçonné. En même temps qu'il arrive au fond de la tranchée il entend un violent fracas un peu en arrière de lui. En se relevant il se retourne et voit la voiturette de la mitrailleuse renversée sur le bord de la voie. L'un des chevaux de trait a son arrière-train pris sous la voiturette. Il fait de violents mouvements pour se dégager. L'une de ses jambes de devant dessine un V renversé, le coude touchant terre, le genou en haut, le sabot retourné frappant le sol convulsivement. Le soleil s'est de nouveau caché, tout est gris. O. tend la main vers la bride de son cheval qui est debout, immobile, sur le ballast. Il touche la bride du bout des doigts. Le cheval

fait un pas en avant. O. fait un pas en avant. Le cheval
prend le trot. O. se met à courir et touche de nouveau
du bout des doigts les rênes flottantes. Le cheval prend
le galop. O. essaye d'attraper l'un des étriers qui bat
contre le flanc du cheval. L'étrier lui échappe. Le cheval
s'éloigne en ruant. O. se met à courir sur le ballast,
alourdi par le poids de son équipement. Déjà essoufflé
par la course au galop et la chute dans la tranchée, O.
sent très vite sa respiration s'accélérer et quelque chose
dans sa gorge qui l'étouffe. Le tumulte de son sang vient
battre dans ses oreilles. L'homme et la femme immobiles
entendent dans leurs oreilles le tumulte de leur sang
qui continue d'affluer et de battre, ralentissant par degrés.
Ils recommencent à percevoir le léger tic-tac du réveil
posé sur la commode à côté du lit. Ils ne peuvent pas
entendre le bruit de la goutte qui tombe à intervalles
réguliers du robinet de la prise d'eau au bout du couloir.
Le corps de l'homme est légèrement séparé de celui d'O.
La broussaille jaune de la poitrine touche toujours les
bouts des seins qui sont maintenant comme fripés, mais
les deux ventres et les deux pubis sont séparés par un
étroit intervalle. De l'autre côté de la porte, très près
du panneau, la voix de O. dit son nom. Les deux corps
sont toujours aussi immobiles que de la pierre. Une grêle
de coups résonne contre la porte. Sur les deux corps
nus et figés la sueur commence à se refroidir, les glaçant. Une teinte d'un brun verdâtre, passée au lavis,
ombre le ventre, la poitrine et le dessous des cuisses de
l'homme. Sur ses fesses, son dos, ses épaules, le peintre

a posé d'épaisses touches de gouache blanche, opaque, un peu bouchées, sur lesquelles quelques accents à la plume modèlent les muscles. Les poils sur la poitrine sont représentés par un fouillis de petits traits frisés, à la plume également, celle-ci, par endroits, ayant tracé des boucles embrouillées, comme font les enfants lorsqu'ils veulent figurer les cheveux. A partir du sternum les traits de plume dessinent une ligne broussailleuse, comme une arête de poisson, qui descend jusqu'au pubis, divisant le corps en deux. Le membre de l'homme tout entier sorti de la femme maintenant est représenté d'une façon schématique, arqué vers le haut, plus étroit à sa base qu'à son extrémité, le gland figuré par un triangle à peu près équilatéral pourvu d'un point près de son sommet. Au-dessus des épaules rocailleuses de l'homme on peut voir briller une lampe, comme les anciennes lampes à pétrole. La flamme est entourée d'un halo de lumière qui troue les ténèbres brunes, au lavis, sur lesquelles se détache la ligne blanche et bosselée du dos courbé. Le corps de la femme est dessiné d'un trait souple. Une ligne part de l'aisselle, s'incurve légèrement pour marquer l'inflexion de la taille puis, d'une seule courbe, contourne la hanche, la fesse, le dessous de la cuisse repliée et s'arrête au creux du genou d'où elle repart en sens inverse, d'abord collée à elle-même, puis s'écartant pour dessiner le contour du mollet tandis qu'une autre courbe partant de la jonction de la cuisse repliée et du ventre (où trois petits plis s'écartent en éventail) se gonfle sur la cambrure du pied dont les orteils sont indiqués nerveusement par une série de petits arcs décroissants. L'ensemble donnant une impression nocturne, tiède, où le dos de l'homme, le modelé à la gouache blanche teintée de bleu, apporte une curieuse note froide, comme si le corps était en marbre, d'un contact dur et glacé, comme la peau sous une pellicule de sueur refroidie.

Devant un fond de feuillages vert sombre s'agitent des personnages brandissant des armes, des massues, se portant des coups violents. Le vert des feuillages est presque noir dans les parties à l'ombre, sous les branches. Les extrémités des rameaux qui reçoivent la lumière sont peintes minutieusement, comme une dentelle cartonneuse, en léger relief sur le fond obscur. Au-dessus des feuillages des rochers aux formes tourmentées se dressent vers le ciel, obliquement, certains en surplomb. Sur leurs entablements et leurs sommets poussent des buissons et des petits arbres échevelés. Les personnages ne sont pas revêtus d'armures, mais nus. Leurs corps sont d'un rose chaud, légèrement grisé. Ceux des hommes sont hâlés. Des femmes minces, aux petits seins, aux ventres bombés, conduisant des jeunes enfants par la main ou les serrant dans leurs bras, se tiennent debout ou couchées sur l'herbe. Les brins d'herbe, d'un vert olive, peints un à un, se détachent en relief sur un fond plus sombre. Deux hommes aux corps minces aussi et glabres, armés de massues, sont debout. Deux autres gisent à terre. Les femmes paraissent indifférentes à ce spectacle, sauf l'une d'entre elles qui, la bouche ouverte,

semble crier. Son visage, vu de profil, exprime l'indi-
gnation. Elle est représentée de dos, dans l'attitude de
la marche, le corps droit, légèrement cambré. Elle tient
devant son corps un bâton dont on voit dépasser une
extrémité au-dessus de son épaule droite, l'extrémité
inférieure reparaissant sur le côté de sa cuisse gauche,
un peu au-dessous de la fesse. Peut-être se proposait-elle
de le donner comme arme à l'un des hommes qui gît
sur l'herbe, couché sur le côté, une cuisse repliée, cherchant à se protéger la tête de son bras replié, mais,
semble-t-il, résigné. Les deux vainqueurs sont nettement
plus âgés que les vaincus. L'un d'eux, les jambes écartées, debout au-dessus de son adversaire terrassé, porte
une longue barbe et de longues moustaches blanches. Il
brandit encore son arme improvisée, faite d'un jeune
arbre, encore pourvu de son feuillage, et qu'il a sans
doute déraciné au commencement du combat. Ne se
souciant apparemment plus du vaincu il semble regarder
la femme qui crie, ou peut-être celle qui se trouve debout
au centre du tableau, paraissant se promener, tenant
par les poignets ses deux enfants. Le visage de l'autre
vainqueur est orné d'une barbe courte et frisée, rousse,
et également de longues moustaches. Son buste est
penché en avant, sa jambe à demi fléchie, ses bras sont
levés et repliés au-dessus de sa tête armés d'un gros
gourdin qu'il tient à deux mains et avec lequel il s'apprête à asséner un coup, sans doute décisif, à l'autre
homme qui gît, appuyé sur un coude, la tête renversée
en arrière, un bras faiblement levé, serrant dans son

227

poing la branche trop mince qui lui servait d'arme. L'un des enfants de la femme représentée au centre du tableau a aperçu un autre petit enfant qu'une femme couchée dans l'herbe tient contre sa hanche. Il tourne la tête vers lui et avance sa main dans sa direction comme pour l'inviter à jouer. L'autre petit enfant, la tête levée, regarde la femme qui crie. L'harmonie générale du tableau repose sur l'accord des verts sombres et du rose chaud, légèrement grisé, des corps nus. Au dos de la carte postale, dans la partie réservée à la correspondance et en haut, le titre du tableau, après le nom du peintre en majuscules (LUCAS CRANACH d. Ä) est répété en trois langues : Die Eifersucht — Envy — La Jalousie. O. est assis dans une grande salle voûtée en sous-sol, à une table de bois brun. Les voûtes résonnent de voix bruyantes d'un groupe de jeunes gens attablés devant d'énormes chopes de bière. O. met de côté la carte postale représentant le Cranach et en prend une autre sur laquelle on peut voir une coulée confuse de casques noirs et brillants, pressés les uns contre les autres, comme des écailles, dans un étroit espace entre les collines et les rochers. Au loin on aperçoit un fleuve que franchit une file de cavaliers, et les murs d'une ville. Un panache de hautes flammes se dresse au-dessus de la ville dans le ciel couleur safran. Comme des éclaboussures, des gouttes luisantes jaillies du torrent de casques noirs, des petites silhouettes s'égaillent sur les pentes des collines entre les premiers arbres de la forêt. Au dos de la carte, dans le bas de la partie réservée à la correspondance, on

LA BATAILLE DE PHARSALE

lit : PIETER BRUEGEL d. Ä. — Schlacht zwischen Israe-
liten und Philistern. 1562 — The Battle of the Israelites
and the Philistines — Bataille des Israélites et des Phi-
listins. O. prend son stylo, il réfléchit un moment et, à
la fin, écrit sans se soucier des parties réservées à la
correspondance ou à l'adresse : Je serai à Paris vendredi.
Je me suis conduit comme un idiot. Je t'aime. Il signe,
introduit la carte postale dans une enveloppe sur laquelle
il écrit le mot Mademoiselle suivi cette fois du nom
et de l'adresse complète. Le billet que O. a posé à côté
de son verre de bière est d'un gris bleuté. On peut voir,
sur la droite, le visage d'un homme jeune, à la longue
chevelure qui descend en vagues ondulées sur le col de
fourrure de son vêtement. Le cou est nu, le visage fermement modelé. L'identité du personnage n'est pas indiquée, mais la coiffure et le peu que l'on voit du vêtement
font penser que ce doit être quelque écrivain ou peintre
du début de la Renaissance. Peut-être Erasme ou Dürer
jeunes. Le numéro du billet apparaît en chiffres rouges,
en surimpression sur le cou nu. A gauche le chiffre 10
en gros caractères imitant le relief s'inscrit dans un
cadre aux contours ondulés, le tout imprimé à l'encre
mauve et surmonté, en petites lettres noires, de la mention Zehn Deutsche Mark. Le garçon est un gros homme
ventru qui marche en boitant. Il est vêtu d'un costume
noir aux revers de soie, son plastron blanc n'est pas très
propre et il souffle bruyamment. Il prend le billet et
rend à O. quelques pièces de monnaie et un billet d'un
jaune verdâtre orné d'un grand chiffre 5 surmontant le

mot FUNF en lettres gothiques se détachant sur un fond d'arabesques et de dentelles compliqué. A droite une femme nue assise sur le dos d'un taureau élève dans l'une de ses mains un soleil. O. met les pièces et le billet dans sa poche. Il choisit une carte postale représentant un homme en armure monté sur un cheval blanc dans une épaisse forêt aux arbres roux. Le cavalier est très petit et ce sont les feuillages touffus des buissons et des arbres qui emplissent tout le rectangle. O. retourne la carte et écrit : Papa embrasse sa petite Corinne. J'espère que tu es bien sage et que tu ne fais pas enrager Paulou. Dis à Maman que je suis obligé de revenir quelques jours à Paris avant de vous rejoindre. Je lui écrirai demain. Encore de gros baisers pour tous. En courant avec Paulou et O. Corinne passe à côté d'une touffe d'orties. Elle continue à courir, tourne la tête en arrière et crie C'est moi qui cours le plus vite. O. arrive à sa hauteur et la dépasse. Corinne s'arrête et se met à pleurer. O. se retourne et dit Qu'est-ce que tu as ? Corinne ne répond rien et, pleurant toujours, part en courant pour rattraper le groupe des grandes personnes, un homme et deux femmes, qui marchent dans le chemin sous les cerisiers. En l'entendant ils se retournent et l'homme dit Qu'est-ce que tu as qu'est-ce qui t'arrive ? Corinne montre son mollet et se retourne en pointant le bras dans la direction de Paulou et de O. qui sont restés en arrière. L'homme se penche, lui frotte rapidement le mollet et la hisse à cheval sur ses épaules en disant Hop là ! La tenant par les deux poignets il part en courant dans l'allée en imitant le galop d'un cheval. On entend Corinne rire.

La grande roue de fer est un peu enfoncée dans le sol. De hautes herbes (parmi lesquelles des chardons desséchés et jaunis) poussent sous la machine. Certaines (un bouquet d'orties) arrivent presque jusqu'au moyeu de la roue. A moitié dissimulée par les herbes on distingue une plaque de tôle rouillée, en forme de triangle aux coins arrondis, creuse, comme une cuvette, percée, pas tout à fait en son centre, d'un trou rond, à peu près du diamètre d'un tuyau de poêle, par où s'élance une épaisse touffe d'herbe.

Deux hommes, dont l'un est vêtu d'une salopette, descendent d'une camionnette déglinguée. Ils s'approchent de la machine abandonnée en lisière du champ de coton et en font le tour en la regardant avec attention, se penchant pour mieux voir dans l'enchevêtrement compliqué de tringles, de câbles et de tiges. De la main l'un d'eux éprouve la solidité d'une chaîne et hoche la tête de bas en haut. Les jambes à demi fléchies, le buste à l'horizontale, la tête engagée à l'intérieur de la machine et tournée vers le haut, l'homme en salopette tape avec une lourde clef anglaise sur une pièce de fer. Cette fois celui qui l'accompagne agite la tête en signe d'acquiescement.

L'homme en salopette s'accroupit entre les orties sous la machine et commence à dévisser quelque chose à l'aide de la clef anglaise. De temps en temps celle-ci dérape sur le métal rouillé et l'homme jure à voix basse. Son compagnon accroupi aussi, la tête levée, le regarde faire. Au bout d'un moment il se lève, marche jusqu'à la camionnette, y grimpe, et met le moteur en route. La camionnette s'extirpe en cahotant du chemin de terre et vient se ranger contre la moissonneuse. L'homme descend et aide son campagnon à sortir de sous la machine plusieurs pièces apparemment assez pesantes. Le plancher de la camionnette résonne quand ils les y déposent. Pendant que le chauffeur monté sur le plateau de la camionnette, les jambes écartées, s'affaire à ranger le chargement l'autre revient à la machine et entreprend de déboulonner à sa base la tige de métal qui dresse vers le ciel un siège en forme de feuille de nénuphar, concave, percé de deux rangées circulaires et concentriques de trous ronds. Ayant fini de ranger le chargement l'autre saute à bas de la camionnette, s'approche de nouveau de la machine et tire sur plusieurs des câbles qui serpentent à travers l'enchevêtrement des tringles de métal. Déboulonnée à sa base la tige qui soutenait le siège tombe à terre avec celui-ci, rebondissant contre la roue dans un tintement de métal entrechoqué. L'homme à la salopette se relève, regarde ce qu'est en train de faire son compagnon, tire lui aussi sur l'un des câbles, et hoche la tête de bas en haut en signe de dénégation. Les deux hommes ramassent alors le siège et sa tige et les chargent dans la camionnette. Leur travail fini, debout côte à côte, ils contemplent encore une fois la machine. Celui en salopette agite plusieurs fois la clef anglaise dans sa direction. A la fin ils remontent tous les deux dans la cabine de la camionnette, claquent les portes, et celle-ci démarre. Quand elle se met à se dandiner sur le sol bosselé du chemin de terre on peut entendre les lourdes pièces métalliques qui s'entrechoquent bruyamment sur le plancher du coffre.

Erat Crastinus evocatus in exercitu Caesaris — Il y avait dans l'armée de César un rappelé, Crastinus, — qui superiore anno apud eum primum pilum in legione decime duxerat — qui, l'année précédente, avait été primipile à la deuxième légion, — vir singulae virtute — homme d'une rare valeur. — Hic signo dato — Celui-ci, quand le signal fut donné, — Sequimini me, inquit — Suivez-moi, dit-il, — manipulares mei qui fustis — vous qui fûtes mes manipulaires — et vestro imperatori quam constituistis operam date ! — et montrez à votre général le zèle que vous avez promis ! — Unum hoc proelium superest : — C'est le dernier combat qui nous reste : — quo confecto — une fois livré, — et ille suam dignitatem et nos nostram libertatem recuperabimus — et lui recouvrera sa dignité, et nous notre liberté. — Simul — En même temps — rescipiens Caesarem : — se retournant vers César : — Faciam inquit hodie imperator — Général, dit-il, j'agirai aujourd'hui — ut aut vivo mihi aut mortuo gratias agas. — de façon, mort ou vif, à mériter tes éloges. — Haec cum dixisset — En disant ces mots

O. repousse l'amoncellement de papiers qui recouvre son bureau. Une lumière atténuée filtre par la fente étroite entre les volets de la fenêtre, presque fermés.

233

LA BATAILLE DE PHARSALE

Quoiqu'il fasse encore jour l'ampoule électrique est allumée. Sur la partie déblayée du bureau O. dispose de minces liasses de billets de banque sur chacune desquelles il pose encore un petit tas de pièces de monnaie. Lorsqu'il les manipule les billets font entendre ce bruit rêche et caractéristique du papier un peu épais sur lequel ils sont imprimés. Leur aspect général est légèrement bleuté, tachés çà et là d'une touche de jaune ou d'orange pâle. En plus des deux plis qui se croisent perpendiculairement en leur milieu, ils gardent les traces d'une infinité de petits plis secondaires formant un lacis de rides plus ou moins profondes, ainsi que les trous des épingles qui ont servi à les réunir en liasses de dix. Si on les regarde en transparence, on peut voir en filigrane dans l'épaisseur du papier la tête de Jules César et le profil d'un soldat romain casqué, l'un à gauche, l'autre à droite, dans deux cartouches ménagées à cet effet. On entend aussi le tintement des pièces. Peu à peu la lumière qui pénètre par la fente entre les volets s'affaiblit et c'est l'éclairage jaune de l'ampoule électrique qui prend le dessus. Dans le vestibule qui précède le bureau on entend des râclements de souliers et des voix d'hommes. O. se lève et ouvre la porte du bureau. Dans le vestibule règne une pénombre colorée en vert par la tonnelle sous laquelle s'ouvre la porte d'entrée. Des silhouettes grisâtres, terreuses, d'où se dégage une forte odeur de sueur et de fatigue, se tiennent debout le long du mur tapissé du même papier qui recouvre ceux du bureau, imitant le cuir de Cordoue, et où se repète un motif de palmettes, vert olive foncé, en relief. O. revient s'asseoir près de son bureau. L'un après l'autre les fantômes grisâtres y pénètrent. Dans la bouche de chacun, O. dépose une des petites liasses de billets et quelques pièces. Après quoi chacun des fantômes sort du bureau et O. fait une croix en face d'un nom sur une liste.

... primus ex dextro cornu procucurrit — le premier il s'élança de l'aile droite — atque eum electi milites circiter centum et viginti voluntarii ejusdem centuriae sunt prosecuti — et cent vingt soldats d'élite, volontaires de la même centurie, se précipitèrent à sa suite / Plutarque et Lucain confirment le fait ; cf. Plutarque, Ces., XLIV ; Pomp., LXXI : « Le premier, Crastinus s'élance au pas de course, entraînant derrière lui les cent vingt hommes qu'il commandait » ; et Lucain, Phars., VII, 470-473 : « Puissent les dieux te donner non pas la mort, qui est le châtiment réservé à tous, mais, après ton destin fatal, le sentiment de ta mort, Crastinus, toi, dont la main brandit la lance qui engagea le combat et la première teignit la Thessalie de sang romain ! » / In eo proelio — Dans cette bataille — non amplius ducentos milites desideravit ; — il ne laissa pas plus de deux cents soldats ; — sed centuriones fortes viros circiter tiginta amisit. — mais il perdit environ trente centurions pleins de bravoure. — Interfectus est etiam fortissime pugnans Crastinus — Y fut tué, en combattant lui aussi avec beaucoup de bravoure, Crastinus, — cujus mentionem supra fecimus — dont nous avons fait mention plus haut — gladio in os adversum conjecto. —

ayant reçu un coup de glaive en plein visage. / Plutarque (César, LXIV) précise : « Il reçut dans la bouche un si violent coup de glaive que la pointe en sortit par la nuque. »

Se tenant par la main, un jeune soldat en tunique et culotte de toile kaki et une jeune fille marchent dans le chemin de terre qui court entre la voie ferrée et les champs de coton. Les champs de coton s'étendent jusqu'au pied d'une colline rocailleuse et rougeâtre, en forme de dos de poisson, qui s'avance dans la plaine comme un promontoire. D'autres collines plus hautes s'élèvent derrière, d'un blanc gris, piquetées de petits buissons vert foncé. Les plus lointaines se teintent de bleu. Arrivé près d'une ferme abandonnée, le couple quitte le chemin et oblique sur le terre-plein. Une vieille machine agricole rouillée est abandonnée à la lisière, penchant d'un côté. Balançant leurs bras au bout desquels les mains sont réunies et qui dessinent un V, le couple marchant lentement et devisant se dirige vers la machine puis, avant de l'avoir atteinte et sans s'arrêter, infléchit sa marche vers le bâtiment. Tandis qu'ils le longent, le jeune soldat montre en riant à la jeune fille quelque chose sur le mur. Le visage de la jeune fille se fige et sa main s'agite pour se dégager de celle du garçon. Comme celui-ci essaie de la retenir, elle donne une forte secousse de haut en bas et les mains se séparent. La jeune fille s'écarte alors du garçon et de l'endroit du mur où est dessiné un ovale entouré de rayons et orné en son centre d'un V renversé aux branches faiblement écartées. Elle continue sans se retourner et s'éloigne rapidement. Toujours riant le jeune soldat la rattrape en courant. Ils sont maintenant au-delà de l'angle formé par le mur. Le jeune soldat se plante devant elle et la force à s'arrêter. Il pose ses deux mains sur les épaules de la jeune fille et lui parle en secouant la tête. La jeune fille élève ses mains et essaye de détacher de ses épaules les mains du soldat. Puis elle renonce et laisse de nouveau ses bras pendre le long de son corps. Elle continue à écouter sans répondre ce que lui dit le soldat. Son visage reste fermé. Soudain elle dit quelque chose très vite, l'air en colère. Le jeune soldat agite de nouveau la tête en souriant. Ses mains quittent les épaules de la jeune fille. Il fouille dans ses poches, en sort un couteau et tout en ouvrant la lame se dirige vers le mur de la ferme. La jeune fille reste debout à la même place. De la pointe de la lame le garçon commence à graver quelque chose dans le crépi du mur. Au bout d'un moment il tourne la tête vers la jeune fille et lui parle, puis reprend son travail. La jeune fille s'approche. La pointe du couteau maniée par le soldat finit de dessiner la lettre Δ. Debout un peu en arrière de lui la jeune fille regarde. Le jeune soldat dessine alors la lettre Π après quoi il entreprend de dessiner un Σ très grand dont l'angle supérieur englobe le Δ et le Π qu'il a d'abord gravés. Sous la pointe du couteau la croûte desséchée du crépi saute parfois par plaques ou par petites écailles et les bords des traits sont irréguliers. La jeune fille regarde toujours. Dans l'angle inférieur du grand Σ le jeune soldat grave main-

237

tenant les chiffres 1, 9, 6 et 6. La pointe du couteau traçant plus facilement des lignes droites que des courbes, la boucle supérieure du 9 ainsi que les boucles inférieures des deux 6 sont de petits carrés. Finalement le jeune soldat encadre le tout dans un rectangle dont les côtés s'infléchissent un peu. Son travail fini il se retourne vers la jeune fille et lui sourit. Il s'approche d'elle et lui prend la main. Se tenant debout côte à côte ils regardent ensemble pendant un moment les lettres, les chiffres et le carré. Puis le jeune homme se penche et embrasse sa compagne qui cette fois se laisse faire et à la fin lui rend son baiser. Ils restent un long moment ainsi, enlacés et immobiles, après quoi ils reprennent leur promenade, se tenant de nouveau par la main, balançant leurs bras réunis.

O. lit dans une Histoire de l'Art le chapitre sur les peintres allemands de la Renaissance : « Jamais ils ne vont par le plus droit chemin au seul essentiel et au plus logique. Le détail masque toujours l'ensemble, leur univers n'est pas continu, mais fait de fragments juxtaposés. On les voit, dans leurs tableaux, donner la même importance à une hallebarde qu'à un visage humain, à une pierre inerte qu'à un corps en mouvement, dessiner un paysage comme une carte de géographie, apporter, dans la décoration d'un édifice, autant de soins à une horloge à marionnettes qu'à la statue de l'Espérance ou de la Foi, traiter cette statue avec les mêmes procédés que cette horloge, et quand... » O. sort de sa poche un stylomine et écrit dans la marge : Incurable bêtise française. Il relève les yeux pour voir filer horizontalement dans l'encadrement de la fenêtre, très près cette fois, le nom VERONA accompagné d'une ➠, les lettres défilant de gauche à droite soit, successivement A, puis N, puis O, puis R, puis E, puis V, la ➠ en sens contraire de la marche du train. Sur la couverture coloriée du livre dans la lecture duquel est plongée la voyageuse qui occupe le même compartiment est représenté, jusqu'aux genoux, un homme revêtu d'un short et d'une chemise kaki tenant à la main un verre à demi rempli d'un liquide jaune. Son visage tourmenté a une expression égarée. Ses sourcils sont froncés. Un visage de femme blonde apparaît en surimpression, transparent, sur un fond de bambous. Au-dessus, au sommet d'une colline, une croix se profile sur le ciel. Chacun de ces éléments est traité d'une façon différente. L'homme est dessiné à l'aide de traits rigides, durs. La tache jaune du liquide dans le verre se détache sur le décor de feuillages sommairement indiqués qui se diluent dans une brume verdâtre. Le visage de la femme-enfant qui apparaît en surimpression est aussi grand que l'homme tout entier. La croix qui domine le tout s'inscrit violemment en noir sur le ciel couleur d'absinthe. Les lettres du titre sont du même jaune que le liquide dans le verre. Il est composé de mots aux significations abstraites comme FORZA DEL DESTINO OU LA SPERANZA E LA GLORIA.

O. est assis à son bureau. La carte routière Shell MOTO-RING IN EUROPE est étalée devant lui. Il calcule les kilométrages d'un itinéraire. Il écrit :

Paris - Modane   645 km

LA BATAILLE DE PHARSALE

Modane - Turin	91	km
Turin - Vérone	242	"
Vérone - Trieste	283	"
Trieste - Zagreb	256	"
Zagreb - Belgrade	393	"
Belgrade - Skopje	471	"
Skopje - Salonique	250	"
Salonique - Athènes	539	"

Vérone est une ville de 186 556 habitants sur l'Adige. Elle est située au croisement des voies de chemin de fer Milan-Venise et Florence-Trento. D'abord ville étrusque puis gauloise, etc. Une journée et demie est nécessaire pour visiter Vérone : faute de temps, ne pas oublier la *Piazza delle Erbe,* la *Loggia del Consiglio,* les *Arche Scaligere,* le *Teatro romano,* l'*Arena,* le *Duomo,* et les églises *S. Anastasia, S. Fermo Maggiore.* O. et son ami grec couchent à l'hôtel *Gabbia d'Oro,* Corso Borsari, 6. Ils occupent une chambre de six mètres sur huit environ, avec deux lits en bois sombre aux frontons sculptés et baroques. Il pleut toute la nuit. Le lendemain matin, à six heures, la pluie a cessé mais le ciel est gris. O. et son ami boivent un espresso dans un petit bar en regardant par la porte ouverte les commerçants du marché installer leurs étalages sur la piazza delle Erbe. Autour d'une fontaine surmontée par une statue de marbre pâle de grands parasols de toile écrue sont déployés, abritant des tables, des tréteaux et des caisses. Des lampadaires en fonte ouvragée portant chacun quatre globes de verre dépoli décorent la place. Elle est bordée d'arcades et de maisons aux balcons garnis de plantes, aux murs peints en ocre ou de damiers blancs, encadrés de bandes ocre et vert foncé et dont le centre s'orne, alternativement, d'un losange et d'un disque vert foncé. A cette heure matinale la circulation est presque nulle et on entend le bruit de l'eau qui coule de la vasque supérieure dans la vasque inférieure de la fontaine. Belgrade est une ville sans caractère sur une colline au confluent du Danube et de la Save. Devant le Parlement on peut voir deux statues de bronze qui représentent chacune un homme supportant les jambes d'un cheval cabré passées sur ses bras. L'un des deux fait face au cheval, les reins cambrés, l'autre tourne le dos au cheval et il a le buste penché en avant. Les hommes paraissent lutter avec les bêtes et accablés sous leur poids. La signification de cette allégorie est obscure. Les hommes nus et musculeux semblent appartenir à cette race de créatures condamnées à des tâches surhumaines et sans espoir de fin, répétant sans cesse les mêmes gestes, représentés dans des tableaux ou des sculptures dans des attitudes voisines : élevant les bras vers le ciel, brandissant des armes, des chaînes brisées, combattant un invisible ennemi sans cesse vaincu et sans cesse ressuscitant. Sans doute ceux-ci symbolisent-ils le Courage, ou l'Espérance, ou le Peuple, ou la Gloire. L'intérêt artistique de ces statues est discutable.

Le corps du guerrier est entièrement nu. La jambe droite est portée en avant, à demi fléchie. Sa jambe gauche est tendue en arrière. La main droite, au bout du bras un peu plié, se trouve légèrement en arrière du corps, à la hauteur des reins, les doigts refermés sur la poignée d'un sabre à la large coquille de cuivre, la lame nue du sabre pointant horizontalement, étincelante. Le bras gauche est levé, la main en avant du corps. Le haut du buste est tourné vers le spectateur tandis que le bas du corps, du fait que la jambe droite se porte en avant, est plutôt tourné vers la gauche, l'ensemble du corps subissant une torsion sur lui-même, de sorte que l'on voit en même temps la poitrine, le ventre et les fesses. Cette figure est empruntée à une composition de Polidoro da Caravaggio. Le flanc gauche, le bras gauche et la main gauche appuient contre le plateau de la lourde table dressée obliquement et dont les pieds pèsent sur le bat tant de la porte, empêchant celui-ci de s'ouvrir. Dans quelques instants le corps nu sera, sur tout le côté gauche, souillé d'une poussière grise à travers laquelle des gouttes de sang perleront peu à peu. Sur les saillies osseuses, c'est-à-dire la hanche gauche, le coude gauche et la pommette gauche, la peau sera arrachée, laissant voir des plaques rouge sombre environ de la largeur d'une pièce de monnaie.

La campagne au sud de Belgrade est vallonnée et rappelle le Lauragais. La culture principale semble également y être le maïs. La Macédoine est un pays de grandes collines pelées, parfois assez hautes, et jaunâtres. A Skopje on peut encore voir des femmes turques vêtues de pantalons bouffants, le visage à demi dissimulé par un linge sale. Comme sur les paysannes occupées à travailler dans les champs, les couleurs fanées des diverses pièces qui composent leur habillement offrent toutes les combinaisons possibles de verts, de roses, de rouges et de noirs. Pharsale se trouve à peu près à mi-chemin entre Salonique et Athènes, exactement à 47,5 km de Larissa, au nord, et à 66,5 km de Lamia, au sud.

Un vieil homme s'approche de la carcasse rouillée de la machine qui se trouve sur le terre-plein de la ferme abandonnée. Il est vêtu d'un pantalon jaunâtre, d'une épaisse veste de drap bleu marine, très élimée, boutonnée jusqu'au col. Le col est relevé. Une casquette en toile kaki à longue visière protège sa tête. Le vent d'hiver chuinte dans l'enchevêtrement métallique des pièces de la machine. L'homme tient une hachette à la main. Il fait lentement le tour de la machine en la regardant attentivement. Il s'approche et éprouve de la main la solidité des deux planches épaisses disposées en équerre au sommet du bâti. Il pose sa hachette par terre et tire à deux mains sur l'une d'elles. La planche résiste. Il prend alors la hachette et commence à taper avec le dos du fer sur la planche. Au bout d'un moment la planche finit par céder dans un bruit de bois pourri. Il achève de la dégager, la soupèse, contemple l'autre planche, charge finalement sur son épaule celle qu'il a enlevée et s'éloigne. Sur la planche de bois gris dont les veines se dessinent en relief subsistent quelques écailles de peinture verdâtre et, vers l'une de ses extrémités, on peut encore distinguer les lettres M C OR ICK tracées au pochoir à l'aide d'une peinture autrefois blanche maintenant d'un gris à peine plus clair que celui du bois.

Peut-être la rouille a-t-elle rongé l'écrou jusqu'à son axe ou peut-être celui-ci avait-il été déboulonné pour permettre le dégagement d'une autre pièce. En tout cas, sans que personne se soit approché de la machine et sans que le vent souffle, l'une des extrémités d'une tringle se détache et tombe sur le sol. L'autre extrémité toujours maintenue par l'écrou autour duquel elle a pivoté reste en place. La tringle occupe maintenant une position oblique. En rencontrant le sol l'extrémité libérée a cogné contre le carter. Celui-ci est à demi rempli de terre et de sable apportés par le vent et fixés par les pluies. Le choc a été amorti par les herbes qui ont poussé là. Le bruit a été imperceptible.

O. voit le corps penché au-dessus d'elle, comme planant sur l'air, la poitrine et le ventre dans l'ombre, les deux bras écartés et à demi repliés en avant de lui, les deux jambes à demi repliées et écartées comme s'il chevauchait un invisible cheval, les couilles pendantes entre les cuisses, le membre raidi touchant presque le ventre. Partant de la broussaille de poils jaunâtres qui recouvre la poitrine, une ligne ébouriffée divise le torse en deux et rejoint le buisson roux qui flamboie au bas du ventre. Les deux mains prennent appui sur le lit de part et d'autre des épaules d'O. Les deux tibias horizontaux reposent sur le lit, entre les pieds d'O. La peau du corps est très blanche, laiteuse, parsemée de taches de son sur les épaules. Le corps dans son ensemble forme une masse bosselée, rocailleuse. La tête est séparée du tronc par une ligne nette, un peu au-dessus des épaules, à partir de laquelle la peau, ainsi que celle du visage, est d'une couleur brique, comme si la tête était faite d'une autre matière que celle du corps, comme celle d'un guillotiné que l'on aurait recollée, le passage du couperet nettement visible dessinant autour du cou entre la peau blanche et la peau brique la ligne de séparation. Outre sa teinte sanguine, la peau du visage, ainsi que celle des mains, est plus rugueuse que celle, très lisse, du corps. Au bout du membre raidi et tendu, la peau du fourreau, d'un léger bistre, découvre à demi le gland, l'entourant d'une couronne hors de laquelle saille la pointe, en forme d'ogive, d'une teinte rose et percée au centre de son orifice, comme un œil aveugle. Les bras supportés par les mains à plat de part et d'autre des épaules d'O. fléchissent, de sorte que la poitrine broussailleuse s'abaisse, les poils jaunes frôlant d'abord les pointes des seins d'O. qui se durcissent à ce contact, puis les frottent, les froissent, les mamelons durcissant encore. O. cambre les reins de manière à amener son ventre au contact de l'autre ventre, ne touchant plus alors le lit que par ses épaules et la plante des pieds, les cuisses écartées, ses jambes maintenant dans la position de celles d'une danseuse acrobatique exécutant la figure appelée pont. L'homme bande tellement qu'elle est obligée de tirer légèrement le membre vers le bas pour l'introduire en elle. Au moment précis où il pénètre dans son con sa bouche fait entendre un bruit étranglé, comme si elle suffoquait, s'étouffait. Pendant un moment, tandis que l'homme reste presque immobile, elle fait lentement onduler et tourner son

245

bassin sous lui, le membre raidi et dur bougeant en elle, tournant, se retirant, s'enfonçant de nouveau. Sa respiration se fait plus rapide. Elle a les lèvres entrouvertes, les coins légèrement retroussés dans un demi-sourire enfantin. Ses yeux sont fermés. Le sourire découvre un peu ses dents entre lesquelles apparaît le bout rose de sa langue.

Un wagon-plateau est arrêté sur la voie de garage d'une petite gare. La gare elle-même consiste en une maison d'un seul étage, aux murs blancs, au toit de tuiles mécaniques. Sur le mur de la gare est apposée une plaque bleue où l'on peut lire Σ. ΣΤΑΘΜΟΣ ΦΑΡΣΑΛΩΝ. Sur le wagon-plateau est arrimée une machine aux grandes roues de fer peintes en rouge, au bâti approximativement carré, faite d'un enchevêtrement compliqué de tiges, de barres, de chaînes et de pignons. L'ensemble est incliné, l'extrémité du timon de la machine (faite pour être tirée par deux chevaux) repose sur le plateau du wagon. Sur l'une des deux planches disposées de champ et en équerre au sommet de la machine on peut lire en lettres blanches tracées au pochoir le nom MAC CORMICK. Au-dessous est vissée une petite plaque de cuivre jaune qui porte en relief l'indication ΓΕΩΡΓΙΚΑ ΜΗΧΑΝΗΜΑΤΑ — ΓΕΝΙΚΟΣ ΑΝΤΙΠΡΟΣΩΠΟΣ ΠΕΛΟΠΙΔΑΣ ΣΑΡΑΓΙΩΤΗΣ— ΘΕΣΣΑΛΟΝΙΚΗ : MACHINES AGRICOLES — AGENT GÉNÉRAL PÉLOPIDAS SARAYIOTIS — SALONIQUE. Le soleil fait étinceler la plaque de cuivre, la peinture neuve, rouge sur les roues et verte sur les autres pièces de la machine.

Brusquement l'homme allonge ses jambes et la masse de chair et d'os qui domine O. s'affale sur elle, la pla-

quant sur le lit. Des deux poitrines l'air s'échappe violemment. L'homme fait entendre un son rauque. O. dit
Ahahahah, puis, très vite, replie ses deux cuisses contre
son buste, les genoux touchant presque ses épaules,
tandis que sa main qui se crispait dans la chevelure jaune
s'en détache, le bras s'allongeant, la main descendant le
long du corps, contournant sa cuisse repliée, sa fesse,
atteignant la base du membre enfoncé en elle, gluante
maintenant du jus qui s'échappe par saccades de son con,
coule plus bas entre ses fesses. Malgré les allées et venues
ininterrompues du pénis, elle assure sa prise, et dans
un moment où l'homme s'écarte elle tire la peau en
arrière de façon à dégager complètement le gland. Lorsque celui-ci s'enfonce de nouveau en elle sa gorge fait
entendre le même bruit étranglé, puis elle se met à dire
très vite des mots entrecoupés. L'un des ressorts du
sommier grince légèrement. Quelqu'un marche à l'extérieur dans le couloir. O. dit Chut ! et s'immobilise. Les
deux corps restent ainsi, comme changés en pierre, dans
la position exacte où ils se trouvaient quand elle a
entendu les pas, le membre raidi et luisant de l'homme
à moitié enfoncé en elle. On frappe à la porte. L'homme
esquisse un mouvement pour se dégager mais O. le serre
violemment, l'emprisonne dans ses bras minces. Aucun
son ne sort de sa bouche mais ses lèvres s'avancent dans
une moue, comme si elle faisait Chchchchuuu..., son visage
enfantin, parfaitement immobile aussi, les deux prunelles
glissées maintenant en coin, regardant dans la direction
de la porte.

247

LA BATAILLE DE PHARSALE

Annoncée par un bruit de moteur emballé, la petite camionnette bleu ciel surgit en haut de la côte où est rangée la voiture de O. et de son ami derrière laquelle elle passe à toute vitesse sans ralentir. Ils ont cependant le temps de lire, peinte en lettres blanches sur son flanc bleu ciel l'inscription ΚΑΛΛΥΝΤΙΚΑ ΚΑΙ ΕΙΔΗ ΠΡΟΙΚΟΣ. La voiture a déjà disparu dans la descente en direction de la carrière et, plus loin, de la ville. Un nuage de poussière, doré dans le contre-jour, stagne maintenant au sommet du col, se diluant lentement. A intervalles irréguliers parviennent les sons enroués d'un sifflet d'arbitre. Non loin des premières maisons de la ville on peut voir de petites silhouettes noires courir, s'arrêter, puis repartir en sens inverse dans un nuage de poussière rendu éclatant par le soleil bas.

L'image représente un vieil homme à la longue barbe blanche, coiffé d'une calotte orange, vêtu d'une houppelande de velours vert bordée de fourrure. Il est assis sur un tapis, appuyé à des coussins, sa main droite tient le tuyau d'un narghilé, son bras droit entoure les épaules d'une jeune femme à la chevelure noire, à l'opulente poitrine, vêtue d'un pantalon bouffant de gaze bleu ciel serré aux chevilles, à demi couchée entre les jambes du vieillard. A l'arrière-plan, entre de minces colonnettes, on peut voir une piscine où jouent des femmes nues, un lac, une île sur laquelle s'élève une mosquée entourée de ses minarets, et des montagnes bleues. L'ensemble de l'image est gris bleuté avec quelques notes jaunes, orangées et vertes. Elle est encadrée d'une baguette argentée.

LA BATAILLE DE PHARSALE

Le mur sur lequel elle est accrochée est peint au ripolin, d'un bleu vert. Attablé à un guéridon, sous le tableau, se tient un gros homme moustachu, vêtu d'un costume bleu marine, portant une cravate bordeaux aux rayures obliques ton sur ton. Une serviette de cuir bourrée de paperasses est posée sur la chaise à côté de lui, de champ, le rabat relevé. Sur la table, devant lui, il a ouvert une chemise rose et étalé des papiers — des formulaires imprimés — dont il remplit les parties en blanc et qu'il fait glisser vers l'homme assis de l'autre côté du guéridon en lui montrant du doigt l'endroit où il doit signer. L'homme est vêtu d'une veste et d'un pantalon de toile grise aux fines rayures ton sur ton. Il porte une chemise blanche dont le col est boutonné, mais sans cravate. Pour signer il a chaussé son nez de lunettes à montures de fer. Son visage a la couleur de la terre. L'en-tête des papiers porte la mention ΓΕΩΡΓΙΚΑ ΜΗΧΑΝΗΜΑΤΑ — ΓΕΝΙΚΟΣ ΑΝΤΙΠΡΟΣΩΠΟΣ ΠΕΛΟΠΙΔΑΣ ΣΑΡΑΓΙΩΤΗΣ — ΘΕΣΣΑΛΟΝΙΚΗ.

La tasse cache entièrement le bas du visage. Le bord supérieur de la tasse passe un peu plus haut que le milieu du nez, ne laissant voir que les deux yeux, les sourcils, le front et les cheveux. Le front est couvert aux trois quarts par une frange noire, brillante, qui s'arrête à un centimètre environ des sourcils. A travers la cloison parviennent les sons rythmés d'une guitare. La guitare est sans doute reliée à un amplificateur électrique car les sons ont une résonance à la fois profonde et métallique, des stridences parfois. Le bruit n'est pas absolu-

249

ment désagréable. Toutefois quelque chose dans la répétition obstinée des mêmes cadences, quelques-unes des notes hautes et la façon dont elles continuent à vibrer provoque un certain état de tension, persistant. La frange des cheveux noirs cesse sur une ligne rigide. A droite et à gauche de l'endroit où le nez se raccorde au front, les sourcils partent en lignes droites, horizontales, s'incurvant vers le bas à leurs extrémités. Ils sont épais, sans aucune trace d'épilation. Sans être ridée à proprement parler, la bande de peau que l'on aperçoit entre la frange et les sourcils est d'une matière épaisse. Deux plis parallèles, éloignés d'un demi-centimètre, s'élèvent verticalement au-dessus de la racine du nez. Au bas du front un grain de beauté marron, légèrement saillant, est à demi recouvert par le sourcil gauche. La guitare répète plusieurs fois le même accord, puis s'interrompt. Les cordes continuent à résonner, l'intensité du son allant décroissant. Le bord de la tasse est souligné par un liséré rose vif. Sur le fond de porcelaine blanche on peut voir des branches au dessin tourmenté et noueux, portant des fleurs, dont le contour est indiqué par une ligne rose, trois petits traits divergents, comme des fronces, colorant les bases des pétales. De minuscules personnages aux coiffes en coques, vêtus de longs kimonos vert jade ou jaunes se tiennent debout ou accroupis auprès de petites tables dessinées en perspective cavalière. Leur taille étant à peu près égale à celle des fleurs, ils semblent rejetés dans un arrière-plan au-delà des branches d'amandiers ou de pêchers qui s'incurvent, se coudent et bifurquent gracieusement. La main qui tient la tasse porte un anneau d'or à l'annulaire, mais aucune autre bague. Le pouce et l'index se serrent sur l'anse de la tasse. Aux articulations des doigts de fines rides perpendiculaires dessinent des traits en creux plus roses que la peau dont la nuance tire vers l'ocre. Les ongles sont coupés courts, en ogive, sans vernis. Ils sont striés de légères cannelures. La guitare résonne de nouveau. Par-dessus le liseré rose qui orne le bord de la tasse les prunelles des yeux sont fixées sur O. De temps en temps les paupières battent. Aucun fard ne les recouvre. Les prunelles sont d'un bleu grisé. La minuscule pastille brun foncé de la pupille est entourée d'un hallo jaune tirant sur le vert. Le guitariste plaque maintenant une série d'accords sonores et très forts. Les mouvements des lèvres en train de boire se répercutent sur la tasse dont le bord monte et descend légèrement. Parfois il s'élève un peu plus et les deux prunelles toujours fixées sur O. sont étroitement prises entre la ligne rose, convexe, et la ligne épaisse des sourcils.

O. se tient debout sur le trottoir. Sur les façades des immeubles orientées vers le couchant l'ombre des maisons qui bordent la rue du côté opposé arrive maintenant à la hauteur des fenêtres du cinquième étage. En regardant à ses pieds O. découvre, englobés dans le bitume du trottoir, de tout petits cailloux de formes irrégulières, polygonales, rondes ou ovales, et de couleurs diverses aussi : roses, rouge brique, bleutés, ocre, ivoire. En réalité ces couleurs ne sont que de légères nuances, et la surface du trottoir est d'un gris souris. Une couche de poussière grise — celle du ciment du couloir où il s'est étalé tout à l'heure — recouvre tout le côté gauche du grand corps nu, livide dans la lumière bleutée de la veilleuse qui éclaire la chambrée. Le maréchal des logis se tient debout entre les deux rangées de lits. Son casque et son long manteau de cavalerie sont kaki. La visière du casque projette une ombre opaque sur la partie supérieure de son visage. Une moustache châtain clair — ou plutôt kaki elle aussi, comme le casque et le manteau — cache sa lèvre supérieure. Au creux de son coude gauche scintille la coquille jaune de son sabre. Ses mains sont gantées de cuir. Ses bottes brun-rouge luisent dans la pénombre. Un baudrier de cuir traverse sa poitrine en sautoir. Il est parfaitement immobile, comme s'il était tout entier coulé dans un métal jaunâtre, étincelant par endroits, par exemple du bronze. En groupes maintenant plus compacts (les rames, à cette heure, passent à intervalles plus rapprochés) les voyageurs sortent de la bouche du métro et se dispersent dans différentes directions. Ils s'élèvent lentement, d'un mouvement continu, debout sur les marches de l'escalier mécanique et immobiles, les têtes apparaissent d'abord au-dessus de la murette qui entoure la sortie de trois côtés, puis les épaules. Enfin ils prennent pied sur l'asphalte de la place et s'éloignent. Quelques pigeons piètent sur la place, cherchant quelque chose à manger dans les interstices des grilles qui entourent le pied des arbres. L'asphalte arrosé par les balayeurs au milieu de l'après-midi et où se reflétaient avec des éclats bronzés les façades ensoleillées des immeubles a séché. Il est maintenant d'un gris terne. Des gouttelettes de sang commencent à perler des éraflures sous la couche de poussière grise qui s'étend sur tout le côté gauche du corps. Sur les parties saillantes, la pointe de la hanche, le coude, la pommette gauche, la peau arrachée laisse voir des plaques rouge sombre environ de la largeur d'une grosse pièce de monnaie. Planté toujours immobile sur ses jambes écartées, le maréchal des logis dit Alors tu te dépêches ? Le côté externe de la main droite de O. est légèrement enflé et douloureux. Il peut sentir en élancements chacune des pulsations du sang. Dans les vitres de la fenêtre au cinquième étage et qui reflètent le ciel du côté du couchant celui-ci se teinte de jaune.

L'homme et la femme immobiles entendent dans leurs oreilles le tumulte de leur sang qui continue d'affluer et de battre, ralentissant par degrés. Ils recommencent à percevoir le léger tic-tac du réveil posé sur la commode à côté du lit. Ils ne peuvent pas entendre le bruit de la goutte qui tombe à intervalles réguliers du robinet de la prise d'eau au bout du couloir. Le corps de l'homme est légèrement séparé de celui d'O. La broussaille jaune de la poitrine touche toujours les bouts des seins qui sont maintenant comme fripés, mais les deux ventres et les deux pubis sont séparés par un étroit intervalle. Les deux corps sont toujours aussi immobiles que de la pierre. Sur leurs peaux nues la sueur commence à refroidir, les glaçant. Une teinte d'un brun verdâtre, passée au lavis, ombre le ventre, la poitrine et le dessous des cuisses de l'homme. Sur ses fesses, son dos, ses épaules, le peintre a posé d'épaisses touches de gouache blanche, opaque, un peu bouchées, sur lesquelles quelques accents à la plume modèlent les muscles. Les poils sur la poitrine sont représentés par un fouillis de petits traits frisés, à la plume également, celle-ci, par endroits, ayant tracé des boucles embrouillées, comme font les enfants lorsqu'ils veulent figurer les cheveux. A partir du sternum les traits de plume dessinent une ligne broussailleuse, comme une arête de poisson, mais plus fournie, qui descend jusqu'au pubis, divisant le corps en deux. Le membre de l'homme, tout entier sorti de la femme maintenant, est représenté d'une façon schématique, arqué vers le haut, plus étroit à sa base qu'à son extrémité, le gland figuré par un triangle à peu près équilatéral pourvu d'un point près de son sommet. Au-dessus des épaules rocailleuses de l'homme on peut voir briller une lampe, comme les anciennes lampes à pétrole. La flamme est entourée d'un halo de lumière qui troue les ténèbres brunes, au lavis, sur lesquelles se détache la ligne blanche et bosselée du dos courbé. Le corps de la femme est dessiné d'un trait souple. Une ligne part de l'aisselle, s'incurve légèrement pour marquer l'inflexion de la taille puis, d'une seule courbe, contourne la hanche, la fesse, le dessous de la cuisse repliée et s'arrête au creux du genou d'où elle repart en sens inverse, d'abord collée à elle-même, puis s'écartant pour dessiner le contour du mollet tandis qu'une autre courbe partant de la jonction de la cuisse repliée et du ventre (où trois petits plis s'écartent en éventail), dessine le dessus de la cuisse, le genou, le tibia, se gonfle sur la cambrure du pied dont les orteils sont indiqués nerveusement par une série de petits arcs décroissants. L'ensemble donnant une impression nocturne, tiède, où, sur le dos de l'homme, le modelé à la gouache blanche teintée de bleu apporte une curieuse note froide, comme si le corps était en marbre, d'un contact dur et glacé, comme la peau sous une pellicule de sueur refroidie.

Quoiqu'il soit encore loin de faire nuit, une enseigne au néon s'allume dans la rue. Le néon cerne d'un trait de couleur les contours des revers d'un veston et celui d'un pantalon dans les mots V ESTON et P A NT A LON. Dans l'ombre bleutée qui emplit le fond de la rue, les lignes un peu molles du néon luisent d'un faible éclat rosé. Deux hommes discutent avec deux négresses à côté d'une automobile Simca rangée le long du trottoir. L'une des négresses porte une robe vert pomme. Le corps nu du géant est maintenant caché par une chemise kaki et un caleçon long de toile écrue. Ses grands pieds bosselés, rougis par le froid, sortent des jambes du caleçon. Le maréchal des logis dit Alors ça vient ? L'ombre dépasse maintenant la fenêtre du cinquième étage dont les vitres étincellent, comme du bronze en fusion. A l'intérieur de la charcuterie une petite fille montre du doigt à une dame quelque chose exposé dans la vitrine. Le géant a maintenant revêtu un bourgeron et un treillis d'un blanc sale et ressemble à un immense Pierrot. A l'aide d'un mouchoir crasseux roulé en boule il essuie le sang qui coule de sa pommette, regarde un instant le mouchoir taché de rouge et le remet dans sa poche. Son visage est sans expression. Le maréchal des logis dit Tes galoches. Le géant le regarde. Le maréchal des logis dit Je ne vais pas te descendre en cabane pieds nus il fait moins cinq tu sais. L'une des négresses a disparu. L'autre est maintenant assise entre les deux hommes sur la banquette avant de la Simca. Tous les trois regardent devant eux sans rien dire. On ne peut plus distinguer le rideau de filet derrière les vitres de la fenêtre qui flamboient. Le maréchal des logis dit Prends ta couverture. Quatre hommes dont l'un est en manches de chemise sont assis à la terrasse du café. Le garçon est debout à côté d'eux. Il tape à petits coups contre sa jambe son plateau rond qu'il tient au bout de son bras pendant vertical. Le maréchal des logis dit Tu vas rester longtemps planté comme ça ? Le garçon pointe successivement son doigt vers chacun des quatre hommes, baisse la tête en signe d'acquiescement et disparaît à l'intérieur du café. L'enseigne de néon brille plus fortement. Le maréchal des logis dit Allez on y va. Sa couverture brune pliée sous son bras le géant se dirige vers la porte de la chambrée et la franchit. Le bruit de ses sabots accompagné par celui des bottes et le tintement des éperons décroît dans le couloir. O. se met en marche et s'éloigne sans se retourner.

O. est assis à sa table devant la fenêtre. La fenêtre est ouverte. Le soleil qui entre s'étend sur la partie droite de la table. Les ombres des objets posés sur cette partie de la table — environ un tiers de sa surface — s'allongent démesurément. Leur longueur est à peu près le double de la hauteur des objets, ce qui indique que l'on se trouve à la fin d'une de ces journées, quand l'après-midi s'étire, le soleil s'attardant, n'en finissant plus de disparaître derrière les toits des maisons. Sur la table la ligne de séparation entre l'ombre et le soleil progresse de façon imperceptible. Au fur et à mesure qu'elle avance vers la gauche, les ombres des objets s'étirent encore. Dans l'angle droit de la table, du côté de la fenêtre, est posé un vieux dictionnaire Petit Larousse, cartonné, à la couverture d'un rouge violacé, et dont les coins usés, arrondis, laissent voir la texture feuilletée du carton, d'un gris jaunâtre. Touchant presque le bas du diction-naire et à demi dans son ombre se trouve un paquet de gauloises. Sur son enveloppe bleue est dessiné un casque pourvu d'ailes. Le casque fait penser à des bruits de métal entrechoqué, de batailles, à Vercingétorix, à de longues moustaches pendantes, à Jules César. Les ailes évoquent des images d'oiseaux, de plumes, de flèches empennées. A gauche du paquet de gauloises, touchant son côté le plus long par un coin, est posé un sachet d'allumettes plat, pourvu à sa partie inférieure d'une bande marron de papier phosphoré. Le rabat du sachet est jaune citron. On peut y voir, représentés jusqu'à mi-corps, les bustes d'une femme et d'un homme. La veste de l'homme, ses cheveux, la blouse de la femme, ses cheveux, sont bleus. Le visage de l'homme, le plastron de sa chemise, le visage de la femme et les mains de celle-ci posées sur un volant d'automobile sont blancs. L'homme et la femme sourient.

Leurs lèvres sont noires. Au-dessus d'eux, en lettres noires sur fond jaune, on lit : CORN'S AUTO SCHOOL. Sur la gauche du dictionnaire, un peu en oblique, se trouve un billet de banque italien de mille lires auquel ses plis (il a dû être longtemps plié en quatre dans le sens de sa longueur) donnent la forme approximative d'une toiture pourvue, sur le côté, d'un auvent qui se relève. On peut y voir le buste de Verdi gravé en taille-douce et imprimé à l'aide d'une encre gris-bleu. Le centre du billet est occupé par le chiffre 1000 en gros caractères ornés qui se détachent sur un disque rose pâle. Au-dessous du chiffre se trouve un autre disque, de couleur orange, au pourtour dentelé et au centre duquel est représentée de face et comme en bas-relief une tête de Gorgone. Plusieurs pièces de monnaie en bronze sont répandues (comme si elles s'étaient écroulées après avoir été rangées en pile) dans l'angle compris entre le dos du Petit Larousse et le billet de banque italien. Les petits disques des pièces empiètent les uns sur les autres. Elles sont ornées de rondes-bosses représentant soit une tête d'homme de profil, soit une femme casquée, drapée dans des voiles, assise sur un siège bas, la main droite appuyée sur un bouclier ovale, la main gauche, à l'extrémité du bras levé, à demi replié, tenant la hampe d'un trident. Sur une des pièces, plus ancienne, les parties en relief sont usées par le frottement et aplaties. Elles se détachent en clair, d'un brun rosé, sur le fond brun foncé de la pièce ainsi que l'inscription ONE PENNY en demi-cercle suivant le bord de la circonférence. Près du paquet de gauloises se trouve une coquille Saint-Jacques utilisée comme cendrier. La matière calcaire de la coquille est d'un jaune clair, presque blanc et légèrement citronnée là où le soleil la frappe, l'éclairant en transparence. Des traces d'un rose brun apparaissent en quelques endroits. Le bord de la coquille projette sur la table une ombre crénelée.

Sculptée en ronde-bosse dans le marbre une frise de cavaliers au galop court sur le haut d'un mur. Les cavaliers sont vêtus de courtes tuniques. Leurs cuisses nues serrent les flancs nus de leurs montures dont les crinières flottent au vent en courtes flammèches. Les naseaux des chevaux sont dilatés, des veines saillent sur les chanfreins, les oreilles sont couchées en arrière. Dans chaque groupe, le front que forment les têtes des chevaux est agité de mouvements tumultueux, certains redressant leur cou, d'autres l'arrondissant, les têtes oscillant d'avant en arrière, se dépassant, s'oblitérant, se confondant, se dépassant de nouveau dans l'ardeur de la course. Ils foulent parfois de leurs pieds les corps d'ennemis gisant à terre. L'un des cavaliers renversé en arrière, la tête sur la croupe de son cheval, déjà à demi désarçonné, va lui-même bientôt tomber sur le sol et rouler sous les sabots de marbre parmi les paturons, les jarrets aux tendons nerveux. Le marbre est d'une couleur gris clair. Les poitrails cabrés des chevaux se gonflent de muscles. L'intérieur des naseaux est injecté de sang. Les pattes rapides, nerveuses, se mêlent et s'entrecroisent à toute vitesse. O. enfonce ses éperons dans les flancs de son cheval et remonte la colline au galop. Ce versant de la colline est dans l'ombre. Celle-ci qui commence à s'étirer indique que l'on approche de la fin d'une de ces journées où le soleil semble tarder à se coucher, comme si, arrivé à un certain point au-dessus de l'horizon il ralentissait, ne poursuivant plus sa course qu'insensiblement, presque immobilisé. O. aperçoit trois cavaliers qui sortent au galop de la corne gauche du bois vers lequel il se dirigeait. Les cavaliers qui se profilent sur le sommet de la colline se détachent sur le ciel blanc. Ils sont au soleil et à un moment celui-ci étincelle sur la coquille d'un sabre. Galopant toujours à travers champs, O. incurve la course de son cheval vers la gauche. Les trajets suivis d'une part par les trois cavaliers et d'autre part par O. dessinent deux droites convergentes, mais O. ayant mal calculé les vitesses respectives de son cheval (qui continue à gravir la pente) et des autres (qui galopent sur la ligne de crête, horizontale) doit incurver de plus en plus sa course, de sorte que celle-ci décrit un arc de cercle, le trajet des cavaliers demeurant rectiligne, et finalement c'est à l'intersection d'une courbe et d'une droite que O. rejoint les trois cavaliers. Quoiqu'il agitât un bras depuis un moment les cavaliers n'ont pas ralenti. Ils sont sur une petite route où le galop du cheval de O. se fait plus dur que dans les prés. O. dit Bande de salauds vous ne pouviez pas m'attendre ? Aucun ne répond. L'un des cavaliers a le visage couvert de sang et semble se maintenir avec peine sur sa selle. O. galope maintenant de conserve avec eux. Les ombres allongées des arbres hachent la route. Les feuillages des arbres passent l'un après l'autre devant le soleil. O. dit De quel escadron vous êtes ? L'un des deux cavaliers indemnes le regarde et dit simplement Quatrième. O. dit Je croyais que le régiment était dans le bois ? Celui des cavaliers indemnes qui n'a pas encore parlé dit Merde tu parles le bois ça grouille de chleuhs. C'est un brigadier. Il a un air furibond. On entend le souffle rauque des chevaux à la cadence du galop. O. dit Qu'est-ce qui s'est passé ? Le brigadier dit Qu'est-ce qui s'est passé ? Montant et descendant sur sa selle au rythme du galop il regarde O. d'un air furieux, sans répondre. Puis il cesse de regarder O. et dit Merde alors ! Qu'est-ce qui s'est passé !... Pendant un moment on n'entend de nouveau que le bruit des sabots sur la route et le souffle de plus en plus rauque des chevaux. Le brigadier se retourne sur sa selle, inspecte la campagne déserte derrière eux, reprend sa position normale et dit On va les laisser souffler un peu. Les quatre cavaliers mettent les chevaux au trot. O. dit Qu'est-ce qui se passe ? Le brigadier dit Les salauds ils vont faire sauter les ponts et on va être les couillons. A part les chocs des sabots sur la route et le souffle des chevaux on n'entend aucun bruit. La campagne est vide, silencieuse. Le soleil bas semble arrêté. O. regarde le blessé et dit Qu'est-ce qu'il a ? L'autre cavalier dit C'est pas sa gueule c'est son genou. Les prunelles du blessé fixées droit devant lui glissent en coin vers O. Dans la croûte de sang qui recouvre le visage les yeux ont une expression angoissée. Du côté où se tient O. le drap kaki de la culotte est percé au genou, un peu au-dessus du houseau, d'un trou ovale, plutôt comme une déchirure, pas très grand, teinté seulement d'un peu de sang. O. dit Ça va ? Sans tourner la tête le blessé lui jette le même regard angoissé et dit Ça ira. Des vaches paissent dans les prés. Les quatre cavaliers toujours au petit trot traversent un hameau désert. Dans un verger clôturé par un treillage il y a une quantité de poules blanches. Un des cavaliers dit Toutes ces bêtes merde ! O. dit Qui t'a dit que les ponts allaient sauter ? Personne ne lui répond. Comme ils sont déjà à une certaine distance du village on entend un bruit de moteur. Le cavalier se retourne dit Merde on est faits ! et met son cheval au galop en le lançant à droite dans un champ. Le brigadier se retourne sur sa selle et dit C'est des Français. L'autre revient sur la route et remet son cheval au trot. Tous sauf le blessé tournent la tête en arrière et regardent la camionnette les rattraper, puis les dépasser. A l'intérieur sont empilés des soldats dont les casques, au lieu d'une visière, sont munis d'un bourrelet de cuir noir. Le brigadier crie Hé ! Attendez-nous ! Les soldats dans la camionnette qui s'éloigne regardent les quatre cavaliers sans répondre. Le brigadier crie de nouveau Attendez-nous y a combien de kilomètres ? Un des soldats de la camionnette crie alors Vous arriverez jamais avec vos carnes Vous l'avez dans le cul ! O. crie Il y a un blessé Prenez le blessé ! Les soldats dans la camionnette continuent à les regarder, le visage inexpressif. Le brigadier hurle Bande d'ordures ! La camionnette est maintenant trop loin pour qu'on puisse entendre s'ils répondent. L'un des soldats assis contre le panneau arrière se penche et fait en direction des cavaliers un geste en frappant de sa main gauche le creux de son coude droit tandis que l'avant-bras droit, le poing fermé, remonte vivement. Le brigadier crie encore une fois Bande de salauds ! La camionnette disparaît à un tournant. Allez, dit le brigadier, on y va un petit peu. Ils éperonnent les chevaux. Les chevaux prennent le galop, mais il semble qu'ils aillent encore plus lentement qu'au trot, comme s'ils basculaient sur place d'avant en arrière sans avancer. De nouveau leur souffle se fait plus bruyant. Le cavalier dit à O. Eh viens de ce côté pour le tenir. O. passe à la droite du blessé et galope à côté. De son bras gauche il essaie de le tenir sous l'aisselle. Sans tourner la tête le blessé dit Non ça ira. Le brigadier dit Tu veux qu'on se remette au trot ? Le blessé dit Non j'aime autant comme ça : au trot ça sec... Il ne finit pas. C'est de nouveau le silence, le bruit des sabots et le souffle exténué des chevaux. Le brigadier détache sa dragonne et en fouette la croupe de son cheval en criant Tu vas avancer oui espèce de carne ? Le soleil continue à baisser. Les ombres des arbres s'allongent encore sur les prés.

Galopant toujours les chevaux continuent à lutter pour se dépasser, secouant leurs crinières pétrifiées, emportant leurs cavaliers pétrifiés. Leur couleur grisâtre ne les distingue pas de l'espace grisâtre, lui aussi pétrifié, sur lequel ils se profilent. Le soleil, la pluie, le gel, la nuit, les aubes, les jours passent tour à tour sur eux sans que leur course se ralentisse. De temps à autre une plaque, un morceau de peau, une joue, une saillie, une épaule, un coude, plus rarement un membre tout entier, s'effrite, tombe en poussière. Toutefois le contour des têtes, des corps et des membres reste toujours lisible. On voit leur texture interne maintenant à nu : des muscles bosselés, un os, un chanfrein, le maxillaire d'un cavalier. La coupe verticale révèle une anatomie compliquée, creusée de concavités, de sillons, de minuscules excavations, de sinus. Incolores, basculant d'avant en arrière sans avancer, ils poursuivent toujours leur course, insensibles, indifférents : les cavaliers de profil, regardant droit devant eux, les chevaux continuant à secouer furieusement leurs têtes aux chanfreins rongés, à mouvoir infatigablement leurs pattes de marbre. Certains sont maintenant complètement plats, gris sur le gris du temps, translucides. C'est à peine si les striures, les méandres que creuse dans la pierre le vent de la course, se gonflent en passant sur eux. Bientôt elles les traversent, comme des écharpes de brouillard dont leur course obstinée dérange à peine les ondulations, comme une chevelure. Au pied des blocs tombés à terre de l'herbe lèche maintenant les sabots, les paturons dont une mince saillie dessine encore les contours. Des cratères, des cavernes, des canaux, des grappes d'alvéoles enserrées dans les replis tumultueux du marbre et maintenant à nu ont pris la place des reliefs que dessinaient autrefois les encolures, les flancs, les croupes. Parfois saillent encore, intacts, un nez, un menton, le bourrelet circulaire d'un naseau. Couchés à

264

plat ou inclinés sur le sol parmi les fûts de colonnes brisés et les fragments d'architrave, les vagues silhouettes galopantes aux entrailles de pierre semblent s'enfoncer dans les entrailles grisâtres et compliquées de la pierre, du temps, où l'écho silencieux de leur galop, l'éclat, parfois, du soleil sur les mèches d'une crinière, un hennissement, la trace minérale de leurs ombres, rappellent qu'ils continuent leur course.

Un grand nègre se tient debout, adossé, les jambes croisées, à une haute clôture grillagée tendue sur des poteaux de ciment. Il porte un chapeau mou, marron, un blouson de cuir rose au col bordé de fourrure marron et un pantalon vert olive. Il tire de temps en temps sur le mégot d'un petit cigare qu'il tient entre le pouce et l'index de la main droite, le bout allumé à l'intérieur de sa main à demi-fermée. Des touffes d'herbe poussent au pied du grillage dans le mâchefer noirâtre dont est fait le trottoir. Au bord du trottoir se trouve un poteau de métal supportant une plaque avec l'indication BUS STOP. Au-delà du grillage derrière le nègre et en contrebas, ce qui permet à la vue de s'étendre très loin, s'alignent à l'infini des voies ferrées parallèles et luisantes. Des trains de marchandises sont garés sur certaines d'entre elles. Le plus proche est constitué par des wagons de bois aux flancs rouge brique. Plus loin on peut en voir un autre, très long, uniquement formé de wagons à plateaux dont chacun supporte, arrimées tête-bêche, deux de ces machines agricoles compliquées, aux grandes roues de fer, faites d'un enchevêtrement de tringles, de chaînes et de barres métalliques. Les différentes pièces des machines sont peintes soit en rouge, soit en vert. La vivacité des couleurs fraîches éclate dans le paysage légèrement brumeux, d'un gris bleuté, où, à l'horizon, un coup de soleil passager éclaire un alignement de parallélépipèdes allongés, de différentes hauteurs se dressant dans le ciel. La plupart ont des teintes pastel : crème, rose, nacrés. Deux, sur lesquels le pâle soleil étincelle, sont d'un brun foncé. L'un, le plus haut, est entièrement noir. Des papiers sales, froissés, jaunâtres ou grisâtres et en quantité incroyable sont soit tassés contre le bas du grillage parmi les touffes d'herbe, soit accrochés, collés, aux mailles métalliques à diverses hauteurs. Les tourbillons d'un faible vent soulèvent par moments et rabattent le coin déchiré d'un papier ou font tournoyer l'un d'eux qui s'élève, volette çà et là, et reste parfois accroché au grillage, s'ajoutant aux autres.

Les deux corps sont toujours aussi immobiles que de la pierre. Leur couleur grisâtre ne les distingue pas de l'espace grisâtre, lui aussi pétrifié, dans lequel ils sont sculptés. Une ombre légère, d'un gris à peine plus foncé, court sous le ventre, la poitrine et le dessous des cuisses de l'homme. Sur les courbes que dessinent ses fesses, son dos, ses épaules, la lumière accroche des touches blanchâtres dans lesquelles quelques accents taillés par le ciseau modèlent les muscles. De temps à autre une pellicule de marbre, une joue, une saillie, parfois une épaule, un coude, plus rarement un membre tout entier, s'effrite et tombe en poussière. Toutefois les contours des corps restent toujours lisibles. Une plaque de peau détachée de la poitrine laisse voir à nu sa texture interne compliquée, creusée de concavités, de sinuosités, de minuscules excavations, de sinus. A partir du sternum les veines internes du marbre diversement érodé se tordent en méandres qui descendent jusqu'au pubis, divisant le corps en deux. Le membre de l'homme, tout entier sorti de la femme, est ébréché, sectionné dans le sens de sa longueur. Le plat de la cassure est d'une matière granitée dans laquelle on voit scintiller comme des étoiles de minuscules éclats de quartz. Sa forme, découpée en arête vive, est celle d'une tige, légèrement arquée vers le haut, plus étroite à sa base qu'à son sommet, terminée par un bourgeon ogival éclaté en biseau. A sa base demeurent intacts deux replis formés par la peau des testicules, finement ciselés et polis. Au-dessus de la ligne rocailleuse des épaules et du dos, le marbre érodé se creuse et s'enfle de bosselures rocailleuses. Le contour du corps de la femme, quoique ébréché par endroits, apparaît encore dans son ensemble (l'œil suppléant aux sections disparues) que cerne un trait souple partant de l'aisselle, s'incurvant légèrement pour marquer l'inflexion de la taille puis, d'une seule courbe, contournant la hanche, la fesse, le dessous de la cuisse repliée et s'arrêtant au creux du genou d'où elle repart en sens inverse, d'abord collée à elle-même, puis s'écartant pour dessiner le contour du mollet tandis qu'une autre courbe, partant de la jonction de la cuisse repliée et du ventre (où trois petits plis s'écartent en éventail), dessine le dessus de

267

la cuisse, le genou, le tibia, se gonfle sur la cambrure du pied dont les orteils sont indiqués nerveusement par une série de petits arcs décroissants. C'est tout juste si les striures, les ondulations creusées peu à peu dans le marbre par le temps, le gel, l'eau, les nuits, les jours, s'enflent un peu en passant sur les membres qui en dérangent à peine les sinuosités, comme les plis d'un léger voile, une chevelure. Des cratères, des cavernes, des canaux, des grappes d'alvéoles enserrées dans les replis tumultueux du marbre et maintenant à nu ont pris la place des reliefs là où se gonflaient autrefois la fesse, le flanc, le sein gauche. Outre les plis formés par la peau des testicules à la base du membre de l'homme et ceux qui s'écartent en éventail à la jonction de la cuisse repliée et du flanc de la femme, subsistent encore, intacts, un nez, un menton, trois doigts d'une main, une mèche de cheveux dénoués. Couchés à plat sur le sol parmi les fûts de colonnes brisés et les fragments d'architrave, les deux silhouettes enlacées aux entrailles de pierre semblent s'enfoncer dans les entrailles grisâtres et compliquées de la pierre, du temps, où seule la rumeur silencieuse de leur sang, l'imperceptible frémissement de leurs respirations, la trace minérale de leurs formes, rappellent leur existence.

Sur le dictionnaire, à l'angle droit du bureau, est posée, un peu de travers, une carte postale représentant le buste et la tête d'un homme d'une trentaine d'années environ, en train de souffler dans une trompette. Ses joues sont gonflées. Il a le teint hâlé par le grand air, des poches sous les yeux, des paupières épaisses et des rides aux coins de celles-ci. Son regard est marron, opaque et inexpressif, fixé devant lui sur le vide. La partie supérieure de son vêtement est seule visible. Celui-ci se compose d'un tricot blanc qui lui arrive au ras du cou et par-dessus lequel il porte une tunique vert amande au col de velours grenat. Le col de velours et la couverture du dictionnaire sont à peu près de la même couleur. Le front du joueur de trompette est coupé par le bord d'une haute coiffure faite d'un tissu blanc et rigide (du feutre ?), d'une forme bizarre et d'une hauteur démesurée, commençant d'abord en cylindre et s'évasant ensuite en tronc de cône renversé. Sur le côté elle semble pourvue d'une sorte de soufflet. Un bras massif dans une manche grenat se dresse verticalement le long du côté droit de la carte postale. Du poing fermé sort le manche d'une hache qui remonte en oblique vers la gauche, disparaît derrière la coiffure extravagante, et reparaît de l'autre côté. Le fer de la hache est du même bleu que celui du ciel fait d'une matière dure et opaque comme du mortier et dont il ne se distingue que par un cerne blanc, le plat du tranchant d'un bleu toutefois plus clair. Entre le bras vertical, le visage du souffleur et la ligne évasée de sa coiffure apparaît, comme encastré, un fragment de la partie bombée d'un casque vert décoré de tiges stylisées, jaunes, qui s'enroulent sur elles-mêmes, et d'un cimier en forme de nageoire dorsale de poisson. Sur la gauche et à demi coupé par le bord de la carte on peut voir le heaume d'une armure bleutée simplement percé d'une fente à la hauteur des yeux et au-dessous de laquelle le heaume dessine une pointe, comme un bec. Des plaques d'un métal également bleuté, de forme ogivale, couvrent le haut de la poitrine. L'épaule est protégée par une autre pièce, en forme de tuyau, s'évasant vers le haut. Tous ces éléments semblent encastrés les uns dans les autres, comme une marqueterie. A gauche des pièces de monnaie et vers le bord extérieur de la table (c'est-à-dire le plus éloigné de O.) est posée une boîte de trombones en carton, mi-partie rouge et jaune, comme un costume de page Renaissance, la raison sociale de la marque répétée plusieurs fois, en lettres rouges sur le fond jaune et en lettres jaunes sur le fond rouge. La zone ensoleillée dont la limite a peu à peu progressé vers la gauche en s'ouvrant à partir de la fenêtre comme la branche d'un éventail couvre maintenant plus de la moitié de la table et le soleil frappe le visage de O. qui cligne légèrement des paupières. La ligne de séparation entre l'ombre et le soleil coupe aux deux tiers et en oblique la feuille de papier posée devant O. La partie de la feuille de papier encore dans l'ombre est bleutée, la partie au soleil d'un blanc citronné. Une marge vert amande, faite de minces triangles allongés (la feuille de papier n'est pas exactement dans l'axe de la chemise de carton sur laquelle elle repose) encadre la feuille. Celle-ci est vierge. Le soleil se trouve maintenant au-dessus des cheminées d'un grand bâtiment dont la façade, s'éloignant en perspective, emplit à peu près aux deux tiers le rectangle de la fenêtre ouverte. Cette façade est

270

dans l'ombre. Au-dessus du toit le ciel légèrement brumeux entourant le soleil est d'un blanc jaune aveuglant. S'élevant à peu près verticalement à partir du fond invisible de la rue un pigeon passe devant le soleil, dans cette phase du vol où les ailes sont déployées. O. sent l'ombre du pigeon passer rapidement sur son visage, comme un frottement rapide. Il reste un moment dans la même position. Après quelques minutes il abaisse la tête. Maintenant seul le coin supérieur gauche de la feuille est dans l'ombre. O. écrit : Jaune et puis noir temps d'un battement de paupières et puis jaune de nouveau.

CET OUVRAGE A ÉTÉ ACHEVÉ D'IM-
PRIMER LE TREIZE MARS MIL NEUF
CENT SOIXANTE-TREIZE SUR LES
PRESSES DE L'IMPRIMERIE COR-
BIÈRE ET JUGAIN, A ALENÇON, ORNE,
ET INSCRIT DANS LES REGISTRES DE
L'ÉDITEUR SOUS LE NUMÉRO 974

Imprimé en France

974